Jean de la Lune

(roman)

Ce livre a bénéficié des subventions du ministère de la Culture du Québec et du Conseil des Arts du Canada.

Mise en pages : Monique Dionne
Maquette de la couverture : Raymond Martin
Distribution : Diffusion Prologue

Dépôt légal : B.N.Q. et B.N.C., 1er trimestre 1994
ISBN : 2-89031-185-6
Imprimé au Canada

Les éditions Triptyque
C.P. 5670, succ. C
Montréal (Québec)
H2X 3N4
Tél. et télécop. : (514) 524-5900

Daniel Guénette

Jean de la Lune

(roman)

Triptyque

1

Par une tiède nuit de printemps, Élise m'a fait ses adieux.

Le surlendemain, on dînait ensemble au Laurier. On se tenait par la main. Ce n'était pas des retrouvailles. Élise pleurait encore. Je ne comprends pas tout.

J'aimerais qu'elle entende raison. J'attendrai.

Il y aurait beaucoup à dire, mais c'est confus. Depuis son départ, je n'ai pas réussi à la convaincre. Je m'ennuie, c'est tout. Et je fais de mon mieux, je travaille.

Maintenant, je pense à elle, à son visage, aux bras qu'elle m'ouvrait et à la musique entre ses longues jambes. J'aimais son violoncelle. C'était notre belle époque.

Maintenant, je regarde l'avenir et je pense à Élise. Le passé ne vaut plus rien, et je veux inspirer dans son cœur l'envie de prendre notre vie en main et de la faire encore plus belle. On m'a dit que je rêve en couleurs. C'est comme ça. Je tiens à cette perspective d'avenir.

Au tout début il y avait le quatuor, je veux dire les quatre, et parmi eux, il y avait toi. Tu étais sur la scène, et moi dans la salle.

Je pourrais tout raconter. Je le ferai. Je serai tellement émouvant, tellement sincère qu'elle en conviendra et alors nous nous retrouverons.

Il y a tant de choses à dire quand on veut réparer. Élise n'a jamais beaucoup parlé, mais cette nuit-là, avant de partir, elle tenait à refaire tout le chemin, celui qui menait à notre rencontre, son chemin plus le mien, sans omettre le chemin qui fait ensuite comme deux rivières à partir d'une seule, si comme je le pense de telles catastrophes se produisent aussi dans le domaine de la géographie.

Elle croyait que nos deux enfances s'étaient appelées, maladivement, et c'est ce dernier mot qui m'a poussé à consulter qui de droit.

À l'entendre, j'avais joué un rôle, pas d'acteur, mais au sens scientifique du mot une sorte de havre pour elle, et elle une mère pour moi et une soeur, mais une femme? elle en doutait. Or maintenant j'ai grandi et qui de droit saurait en témoigner.

Ainsi donc, moi, un port d'attache qu'il lui fallait désormais quitter afin de renouer avec des aspirations toujours vivaces malgré le rouleau compresseur du temps. C'est un élan qui nous prend quand on a son âge, il fallait que je comprenne et que moi aussi je m'envole dans ma grande aventure personnelle, parce qu'en fait je n'étais pas heureux, elle le prétendait et moi je le niais.

Le niais. Il arrive que n'importe quelle occasion soit bonne pour s'accabler de reproches et s'accuser de tous les maux de la terre. Je viens de céder à cette tentation, mais c'est de moins en moins fréquent.

Donc, elle me quittait. Tout doucement, avec une triste douceur qui est sa marque de commerce. Elle pleurait sans effet de tragédie grecque et nous étions dans le grand lit. Parfois je l'embrassais mais sans érotisme parce qu'il était trop tard. Élise souriait comme une vieille amie. Elle parla de nos premiers rendez-vous, de notre époque étudiante, de mes trente-trois métiers, de ses élèves à domicile et de notre insatisfaction depuis que nous sommes revenus à la ville. On a longuement évoqué Sutton, la maison, mon atelier dans la grange; je réparais des antiquités, j'en faisais le commerce. Ensuite le lait de chèvre pour après le sevrage de Véronique, puis Élise s'est lancée dans le fromage et c'est moi qui trayais les chèvres.

Tout ce qu'on se disait nous attendrissait. L'émotion nous faisait comme un matelas en pente vers le centre et on y a roulé, mais ce n'était pas de l'érotisme, c'était de la tendresse. Les fenêtres étaient ouvertes et on entendait l'affreux concert des incinérateurs. Leur fumée montait au-dessus des peupliers du parc.

Le soir avant de m'endormir, même si ça fait une mèche, je fais comme si de rien n'était, je souhaite une bonne nuit à tous ceux que j'aime, je ne quitterai pas mes absents, mais la frontière de la mort est la pire qui puisse nous séparer, je ne le sais que trop.

Et puis Élise me disait aussi que j'allais enfin être libre. Tes prévisions, chère Élise, se sont cogné le nez contre un état de fait contraire. Je n'ai pas souvent entrepris la tournée des grands ducs et si j'ai deux ou trois fois tenté de faire le jars, je n'avais pas le cœur à me fendre en quatre pour une étoile filante au petit matin et puis, après, ni vue ni connue.

Jean de la Lune me dit que je suis peureux et que je manque d'expérience. Il me donne des trucs. Mais tout ça, c'est du cinéma, ce ne serait pas moi. Je ne peux pas avoir l'air, jouer un personnage serait au-dessus de mes forces, en deçà de mes principes.

J'ai quand même dansé un slow dans une discothèque où ce n'était pas tout à fait une place pour moi. J'aurais pu chercher à revenir en arrière et comme dans le temps de l'Expo procéder sans me poser de questions. J'aurais pu être entreprenant, la Lune me l'a dit, la fille voulait, elle n'aurait pas dit non, mais moi je l'ai dit, je l'ai assez dit. Que ça me donne ou non l'air dépassé, je ne peux pas faire ça avec une fille que je n'aime pas, je ne veux pas lui faire le coup même si elle est d'accord, moi, je ne peux pas et je le sais. Tu me diras que j'ai souvent prouvé le contraire, mais c'était il y a longtemps et j'ai changé, qui de droit pourrait en témoigner, la chair comme on dit avait ses raisons qui font qu'un homme raisonnable ne l'a pas toujours été, mais il a changé.

Suis-je clair? Je me suis un peu emporté ou encore c'était le courant et mon esprit, fétu de paille, allait à vau-l'eau, c'est normal, ça fait partie de ce travail qui prendra le relais de celui entrepris avec, ci-haut nommé, le qui de droit de tantôt, mon cher docteur.

En effet, j'entreprends ici un travail qui prend sa source dans son cabinet où je le consultais pour des soins d'ordre thérapeutique. Ça aussi c'est normal quand on veut se remettre d'aplomb à cause d'une série de descentes en chute libre. J'ai dû interrompre ses services faute de temps et d'argent, d'argent surtout et parce que ça va un peu mieux. J'ai moins mal partout et au cœur. Surtout je suis capable maintenant de sortir de l'aquarium. Je sors dehors et je travaille. Je reprends mes responsabilités, ayant une fille à élever à qui ma tante ni Élise ne peuvent tout donner. Je ne peux pas l'élever si je suis au bas de l'échelle, celle qui plonge dans l'aquarium, du moins mentalement puisque c'est un langage figuratif que j'emploie à défaut d'aller droit au but avec les mots de la profession que je n'ai pas.

Mon travail sera donc à l'image de ce monstre mythologique qui a plusieurs centaines de têtes, saint Georges a beau les trancher, elles repoussent toujours. Mais avec l'aide de Dieu, dans le sens figuratif de l'expression, j'en viendrai à bout et mon travail sera multiple. Entrepris pour moi, santé mentale, équilibre psychique, donc relais du cabinet. Puis destiné à Élise pour qu'elle soit à même de juger du progrès réalisé, puis Véronique à qui je dois donner ma chemise sur le plan éducatif et moral.

Je léguerai ainsi à ma fille ce qu'aucun père ne songe à offrir, mon cœur tout simplement, mon histoire, mes déboires, les méandres de ma conscience, plaies et bosses, une sorte de miroir où elle pourra se démarquer, se reconnaître et se refuser, s'accepter en connaissance de cause.

En effet, que sait un enfant de son père? Il en saurait davantage, il se connaîtrait mieux. Que pensait mon père? Non pas du salaire moyen, des politiques de l'immigration ou de la Constitution telle qu'on s'y fourvoie encore; mais que pensait-il des pas qu'on fait l'un après l'autre, des mots à dire, à ne pas dire, de l'amour, de la distance qui sépare le cœur de tous les modes où se compose le verbe aimer? Que pensait-il de moi et de ma mère?

Et maman, c'était quoi son esprit, comment dedans, les idées dans sa voix, la couleur de son âme que ses yeux disaient peut-être quand elle se penchait sur moi pour me souhaiter bonne nuit?

Chère maman, je n'en sais rien. Je vous embrasse tous les deux et je vous aimerais tant si de toi, papa, je n'avais pas qu'un aquarium où j'ai failli me noyer, autre chose qu'une serre et des souvenirs de toi qui reviens du travail, qui s'affaires avec eux, le Tétra de Rio, les limaces, la Mystérieuse, le Barbus clown qui vont et viennent parmi les labyrinthes que tu leur donnais, et ça émerveillait mes amis, et encore ceux de Véronique sont fascinés par ce spectacle.

Tu soupais, parlais un peu avec Alice, lisais le journal, puis redescendais auprès d'eux. Je sais que tu pensais beaucoup à maman, Alice me le disait comme pour excuser ton attitude. J'allais te retrouver, c'était du silence et je n'étais pas malheureux. Seulement je savais que depuis sa mort, il n'y avait plus vraiment de place dans ton cœur; cela, je le comprends très bien.

À cause de la drôle de douleur qui demeure quand on n'a pas vraiment connu le monde ni la vie de ses parents, à cause du vent qui emporte les souvenirs, les brouille, et on les réinvente; à cause des traces qui finissent par être effacées, j'offrirai à ma fille un grand journal intime. Est-ce à conseiller?

Vaudrait-il mieux s'en tenir à des images? Que je nage à contre-courant pour devenir une apparence de roc dans les eaux agitées que doit être, imperturbable, monumental, un père contre vents et marées, toujours homme depuis que le monde est monde, sans l'ombre d'un seul petit doute?

Faudrait-il au contraire, comme je songe à le faire, lui donner accès à quelqu'un qui tourne parfois en rond, mais qui cherche, qui travaille?

Ma fille, je cacherai peut-être ces lignes ou j'y mettrai le feu, au sens théâtral du mot, mais je peux maintenant te le dire, je l'ai dit à ta mère, au docteur aussi: j'aurai bientôt quarante ans, je sais qu'il est possible de prendre sa vie en main; on peut sortir de chez soi, rencontrer son prochain, réfléchir au bien-fondé d'une loi, attendre que sa fille revienne de l'école et lui servir un repas équilibré. On peut surtout être dans la vie de sa fille autre chose qu'un figurant.

J'aurai quarante ans, tu en auras quinze. À ton âge il m'arrivait de fermer les yeux bien souvent. Mon père parfois me les rouvrait, il n'était pas toujours silencieux. Cependant, la plupart du temps il ignorait où j'en étais. Comme lui, je ne peux faire que mon possible. Je t'en prie, pardonne-nous cette tristesse. Ta mère n'est pas si loin, et dans mon aquarium je ne suis malheureusement pas si près, parce que depuis le départ de ton frère, rien n'est plus pareil et j'aimerais que Dieu existe avec son paradis où Mathieu nous attend peut-être, est-ce vraiment idiot, et nous serons alors réunis tous les quatre. Mais avant, il faut vivre, et je veux qu'Élise nous revienne.

2

Il y a encore beaucoup de confusion, mais je sais ce qu'il faut faire. Je connais le chemin à suivre. Quand j'étais au collège, on nous a fait lire un vieux livre de philosophie. Il y avait là deux penseurs pour le prix d'un. On n'a étudié que le premier texte, celui de Marc Aurèle. J'ai ce livre en ma possession depuis plus de vingt ans. Je ne le savais pas.

Or je viens de le retrouver comme un trousseau de clefs dont les portes ont disparu parce qu'on a changé d'endroit à plusieurs reprises, mais les portes qu'il m'ouvrira sont nouvelles puisque j'ai vieilli et puisque la philosophie ne traverse pas le temps à la manière d'un vulgaire jeu de clefs.

Le souvenir que j'en ai gardé est bien vague, mais je crois que le hasard fait bien les choses et je suis en train de découvrir le philosophe laissé pour compte, sans doute à cause d'une grève. Il s'agit d'Épictète.

J'ai fait le lien parce que dans le livre de réflexions de tante Alice, en date du 14 janvier de l'année en cours, je venais de lire ceci: «En toutes choses, il faut faire ce qui dépend de soi, et du reste être ferme et tranquille.» Le livre d'Alice est un livre de religion. Le mien contient le manuel d'Épictète, un de mes meilleurs amis.

J'ai aussi lu au début du texte de Marc Aurèle cette note qui m'a bien ému parce que ça correspond tout à fait à mon propre père: «De la réputation et du souvenir que laissa mon père: la réserve et la force virile.»

Je n'en ai pas fini avec mon père et le monde si je veux y faire un peu d'ordre, mais par où commencer? Au moins, j'ai maintenant une ou deux certitudes. Et la découverte d'Épictète me semble des plus salutaires. Il a dit ceci: «Il y a des choses qui dépendent de nous; il y en a d'autres qui n'en dépendent pas.» Ma certitude? Il y a une façon d'être qui nous fait complices de notre souffrance. On dirait qu'il est plus facile de tomber que de monter, de s'évacher que de se tenir debout, droit comme un sapin sur une colline quand c'est l'aube et que personne n'oserait couper parce que ce serait un crime.

Mon impression c'est que les gens, et moi le premier, on a tendance à choisir le rôle de la victime; notre bourreau c'est le destin. C'est toujours la faute des autres, les choses sont comme ça, le fleuve de la vie en a voulu ainsi et nous sommes des fétus de paille.

Ce n'est qu'à moitié vrai, et peut-être le quart ou moins encore. Oui les fleuves coulent en direction de la mer. Si c'est ton chemin, sois fétu. Si au contraire tu veux remonter à la source, prends sur toi et à chaque jour suffit sa peine. Cela ne se fera pas sans acharnement, mais songe à tous les efforts que l'on fait pour justifier sa chute, à toutes les peines que te causent tes jérémiades.

Telle est ma découverte: il ne dépend pas de toi que le fleuve emprunte ce parcours ou un autre. Mais il y a les choses qui dépendent de toi.

Tout naturellement, les dos courbé, accablé de mille soucis, dans mon coin fuyant la lumière et le commerce des gens heureux que je trouvais superficiels, j'étais descendu ici-bas et n'en sortirais plus jamais, ne remontant à la surface que pour accueillir Véronique, très mal par ailleurs, et laissant presque toutes les tâches ménagères à Alice, hormis les ordures car j'en étais une et c'était mon royaume. Je me contentais du spectacle des poissons de papa. J'arrosais les plantes qui lui ont survécu, celles qu'Élise n'a pas emportées, celle de Mathieu que je continue de vénérer. Je prenais soin d'elles, mais je passais peu de temps auprès d'elles, parce que dans la serre je conservais trop le souvenir d'Élise jouant du violoncelle avec Mathieu à ses pieds s'amusant avec des Lego. Mais cette scène d'hiver, de fin d'hiver où le soleil reprend sa vigueur, s'est produite seulement à quelques reprises, à l'époque où papa et Alice étaient en Floride, et alors on occupait les deux étages à cause de l'aquarium, des oiseaux à nourrir et des plantes de papa.

J'ajoute que j'ai beaucoup pleuré. Un homme qui mentalement passe ses journées à se tirer des balles dans la tête n'en mène pas large. J'ai perdu pas mal d'argent, faute de cœur à l'ouvrage et, encore aujourd'hui, si je pense à rejoindre mon fils, je me traite de tous les noms de la terre parce que le fleuve de toute façon ira à la mer. La mer est peut-être une autre vie, mais en ce qui concerne les hommes c'est à la mort que mène le fleuve et chaque jour il faut nager à contre-courant par amour pour Véro et parce qu'Alice maintenant dépend de moi, même si de méchantes langues peuvent soutenir le contraire comme l'insinue parfois un Jean de la Lune qui me semble un peu jaloux de cette relation, certes inusitée, mais à chacun son idiosyncrasie.

Surtout, quand j'ai des pensées pareilles, je pense à Élise à qui j'offrirai ce témoignage d'amour d'un homme qui voudrait être à la hauteur du père de Marc Aurèle, car c'est du mien qu'il s'agit: «la réserve et la force virile» auxquelles je peux moi-même prétendre en vertu du principe: tel père, tel fils.

Je trouverai en moi, j'inventerai ou dénicherai je ne sais où, cette force et cette réserve. Je crois qu'on y met du temps et que ça dépend de notre persévérance, de notre bonne volonté. On peut réussir à devenir un homme, on peut ouvrir son cœur et c'est ce que celui de Jésus ensanglanté symbolise, mais c'est difficile à comprendre et à réaliser.

Je m'explique. Nous souffrons. Nous souffrons et notre peur de souffrir davantage nous fait souffrir encore plus. Exemple. J'ai lu dans *Le Devoir* ou dans *La Presse*, je reçois les deux quotidiens pour des raisons un peu compliquées dont je remets à plus tard l'explication, mais je ferai mon choix sous peu. Donc j'ai lu ceci qui m'a étonné. Une ou deux femmes ont demandé et peut-être obtenu d'être opérées pour une mammectomie, par mesure préventive d'un cancer du sein. Suis-je clair? Par mesure contre le cancer dont elles ne sont pas atteintes, elles prennent le taureau par les cornes afin de l'éviter, sauf qu'il n'y a pas de taureau, pas de cancer, pas de maladie ailleurs que dans leur tête: elles sont malades de peur et les hommes n'échappent pas à la règle, mais là n'est pas mon propos, bien que j'en aurais long à dire sur le sexe des hommes. La plupart sont malades et j'ai moi-même un côté voyeur qui a tendance à faire des siennes, sans parler du sida qui est très en vogue et dont je m'interdis malgré la mode actuelle d'être le porteur, d'où mes réticences à confondre l'amour et sa plus haute noblesse philosophique avec la stricte hygiène ou gymnastique des corps sous prétexte qu'il s'agit là de la nature de l'homme.

En ces temps de tumulte et de confusion, je dis non aux seringues communautaires, aux partenaires multiples dont on ne peut chercher à remonter la filière parce que ça les froisserait trop et j'ai vite dit non aux discothèques unisexes. De cette manière, ça ira. Mais ce n'est pas ce refus qui me fera rester au sous-sol. Je ne vais pas crouler sous le poids de l'univers et le monde entier n'est pas contre moi. C'est une idée que les gens se font quand ils se sentent écrasés, dépassés par les événements.

Je n'ai jamais aimé le mot responsabilité, sauf maintenant où je commence à comprendre qu'il y a les choses qui dépendent de moi et celles qui ne dépendent pas de moi.

Parlons d'autre chose. De la nécessité de l'ordre si on veut se comprendre et se faire comprendre: mon double objectif et la raison d'être de ces feuillets.

Le plus simple serait de classer d'un bord ce qui relève de mon pouvoir et d'autre part les choses qui ont cours en dehors de ma juridiction. Enfin, c'est plutôt compliqué, mais je vais tenter de le faire quand même. Prenons le seul cas de ma vie sexuelle puisque j'ose le dire en toute franchise. Dépend-elle de moi? Oui, mais pas uniquement et j'en veux pour preuve le vaste univers des désirs non partagés, le gars qui veut, la fille qui dit non, celle qui voudrait mais le gars est aux hommes, sans parler des vieillards et des enfants dont la sexualité infantile ne fait plus l'ombre d'un doute depuis que Freud a brandi sa lanterne au-dessus de leurs ébats, sinon de leurs fantasmes.

Ma vie tout court, c'est pareil, elle est en interaction avec le social, si bien qu'il convient d'ériger un parallèle entre le sexe et la vie, puisque l'un ne va pas sans l'autre et puisque c'est pareil, étant donné que la notion de l'autre intervient dans chaque cas. Mais de la même manière qu'une personne peut vivre seule, elle peut aussi s'adonner, un temps, soit peu ou prou, au plaisir solitaire, ce qui risque à la longue d'être plutôt ennuyant.

Je sens que je dis des niaiseries. Des comme ça, j'en ai dit des vertes et des pas mûres à qui de droit. Rien de trop sensationnel pour l'épater, comme on pourrait penser, des perversions plutôt communes, je n'en ai pas trop honte; mais de mes idées, de mes raisonnements sans emploi du juste mot, alors que je suis partisan de la ligne claire, sauf que la mienne dès que je tente de m'y avancer, cherchant à manier le concept, elle va à hue, à dia, comme sous le coup de la dive bouteille alors qu'il n'en est rien, je suis un garçon sobre sur toute la ligne.

Ce que j'aimais, moi, c'était me promener dans le parc, celui où il y a la fontaine et où des femmes se rendaient en bikini, ce qui a fait un tollé de protestations et l'opposition du maire Choquette, peut-être même la une et des reportages à la télé, sinon comment l'aurais-je appris?

Mais je ne m'y rendais pas pour l'exposition de leur anatomie féminine, bien que fin connaisseur et très œil de faucon en la matière. Non, c'était plutôt les arbres qui m'attiraient, le ciel, les jolies maisons, grandes, bien entretenues. Marcher un peu après les rendez-vous, en repensant à mes paroles en l'air ou souvent à ras de terre, qui vont encore tout croche, avec des idées qui sont des semblants d'idées. Le niais. Je cède à la tentation encore une fois et agis comme le prêtre qui se flagelle dans un film de Buñuel que j'ai déjà vu. Règle générale, je sortais de son cabinet la mine basse et me trouvant pas mal idiot d'avoir avoué des choses pas à mon honneur.

Dans les premiers temps je cherchais à montrer mon meilleur profil, manière de dire, accent pointu, niveau de langue et tout le tralala, pour faire bonne impression et parce que je préférais la version que je racontais à l'autre dont je n'avais pas encore idée mais ça s'en vient, c'est la raison de ces pages, continuer ici cette aventure entreprise chez lui.

Donc, je reviens à mes moutons, mon cas est du genre classique: j'arrive en catastrophe plus ou moins contrôlée, en gars dont l'univers s'effondre, mais ce n'est pas de sa faute. Je suis un bon gars, je n'ai rien fait de mal, c'est ce que je dis mais je ne le crois pas vraiment, en fait je suis persuadé du contraire et je donne cent milles à l'heure dans le complexe de culpabilité qui est un motif structurant généralisé très répandu dans la population. Bref, c'est normal d'avoir vécu ce que j'ai vécu puisque je l'ai vécu, mais je ne parviens pas à me le pardonner, tout en accusant les autres et le destin qui a le dos large. Je l'ai vécu, c'était mon fleuve, et moi, fétu parmi les fétus (Épictète n'avait pas encore montré le bout de son nez), je suis dans le noir, au fond de l'abîme avec mes poissons et j'attends la révélation: mon fils est mort, ma femme a pris la poudre d'escampette, je vis avec ma tante qui a été ma mère et qui est la mère de ma fille, enfin pas vraiment puisqu'Élise la voit aussi souvent que moi ou presque, ceci n'a pas changé, mais moi oui, parce qu'à cette époque je passais mon temps devant l'aquarium, n'ayant plus de contrats ni le cœur au ventre nécessaire pour en trouver, payant mes comptes à même l'héritage de feu mon père dont je ne suis pas l'ombre, et ne parvenant pas même à la hauteur de ses chevilles.

J'ai dit tout ça à qui de droit, en long et en large, avec la mère morte en quatrième année, que je me suis marié jeune et par amour, que je n'ai jamais vraiment réussi en affaires, que d'abord ma vocation c'était le spectacle, Gens de la Lune et compagnie, je parle de notre groupe, puis l'art avec un grand A, et par ordre chronologique j'ai trompé ma femme, mais c'était normal à cause de mon fleuve, parce que j'ai perdu la tête et il me semble que, avec ce travail abouté à l'autre, je la retrouverai, c'est la raison pour laquelle j'ai absolument voulu continuer à consulter après avoir ramené une fille chez moi, à l'automne dans le sous-sol, après le départ d'Élise, et je n'ai pas été capable comme cela arrive dans de telles circonstances, puis j'ai douté de moi, à savoir si je redeviendrais comme avant, alors je l'ai dit au bout de quelques rencontres, et j'ai osé dire tant de choses aussi terribles, je me suis traité de tous les noms de la terre, j'étais un impuissant, un raté, un assassin à cause de Mathieu, un irresponsable. J'ai dit tout ça et qu'il me fallait tout mon petit change pour sortir de l'aquarium, qu'un sauna ça me prenait trois fois plus de temps à avoir le contrat et à le faire qu'avant. Mon camion, c'était exactement le gars que j'étais, un cancer, une honte ambulante gagnée par la rouille, or j'ai évolué, je fais maintenant la part des choses, je ne suis plus un camion. Je peux posséder un citron seconde main usé comme ce n'est pas permis et être un homme qui se prend en main, qui choisit la vie. C'est là ma certitude, acquise l'automne dernier, péniblement, à bout que j'étais de crachats et d'injures à mon endroit et sans omettre Élise que je n'avais pas épargnée, je l'avoue, car ce fut une autre découverte: Élise n'est pas le principe de ma ruine. Je ne suis pas le principe de la sienne. Elle n'est pas le plus fort courant de mon fleuve qui m'entraîne à ma perte et moi non plus le sien.

En résumé, ou plutôt pour faire le point, je cherche ici à reprendre ce qui s'est amorcé dans son cabinet. Je recours à cette méthode en pensant à ma fille et à ma femme. Elles liront ces lignes de la même façon que mon fils le fait peut-être à l'instant même, penché au-dessus de mon épaule, comme une absence qui fonde cette entreprise parce qu'il y a eu cette goutte d'eau, une tempête, qui a fait déborder le vase, et depuis plus rien n'est pareil.

Cher Mathieu, ça meurt à droite et à gauche. Ça vaccine à un train d'enfer et je comprends le chagrin de tous ces malheureux parents. Je sais la douleur qu'ils éprouvent, mais je les envie sur un point: ils n'y sont pour rien, la méningite ne dépend pas d'eux, c'est un fleuve invisible qui s'est déguisé en raz de marée. Mais pour nous, ce n'est pas pareil, et je revois sans cesse la scène.

J'aurais dû être plus ferme, dire non, un non franc, te garder dans l'auto avec nous. Mais ta mère et moi on s'engueulait, on a voulu t'épargner ça, on aurait pu se taire, reprendre la discussion à la maison, une discussion même pas importante, qui en cachait une autre, en remplaçait une, interminable, si bien qu'il nous fallait vider la question, le fiel des reproches, faire marcher la machine jusqu'à épuisement. Le feu était rouge, il y avait ton émission qui commençait, il nous restait à faire le tour du bloc pour ensuite aller garer la voiture à l'arrière, mais tu étais impatient et nous de même, tu as insisté pour descendre, on t'a laissé faire, pour un show de farces plates et de niaiseries. Habillé sombre entre chien et loup, ç'a fini là, fauché, t'envolant, après la plainte des freins. Je me suis retourné, j'ai vu mon fils soulevé du sol et tout de suite après dans mes bras, plus rien, c'était fini, tu étais fini, ta mère et moi aussi.

Maintenant, mon ange, mon petit chéri, va voir ta mère et apporte-lui la consolation. Touche son cœur avec tes deux mains blanches, parce que moi je ne sais plus, mes mains sont encore tachées de sang, j'ai tort de le croire mais c'est plus fort que moi, et ta mère aussi s'accable de reproches.

3

Tout de même, quel drôle de pays! On passe d'un record de température à un autre, tout à l'opposé. Janvier nous donne du fin mars, puis du jour au lendemain l'Arctique nous rejoint. C'est peut-être pas tant le pays que cette cochonnerie de pollution dont c'est la vogue, les puits de pétrole du Koweit, un volcan ou les conséquences de Tchernobyl. Ah! je dis ça en riant parce que dans un *Quick et Flupke* de Mathieu, deux commères tenaient de pareils propos, donc dans les années trente ou quarante, et ce dérèglement des températures, elles l'attribuaient aux bombes, aux nouvelles machines de guerre. Je lisais ça avec Mathieu et ce que Hergé a fait le fascinait tout autant que moi. Je voulais lui donner une enfance, étais-je seulement sorti de la mienne?

Je suis à la maison encore, parce que hier aussi j'ai fait du bureau à domicile, dans mes quartiers généraux, c'est-à-dire l'aquarium. Papa connaissait les noms de chaque variété, moi pas. Je suis cependant fier de nourrir des poissons qu'il a lui-même nourris pendant si longtemps ou sinon leurs descendants. Parfois une vieille barbe s'endort et je pense à lui qui détestait se servir de l'épuisette en pareil cas.

Ce matin, la Lune et moi devions travailler. À Saint-Laurent, deux saunas à terminer le plus vite possible. On serait allé dîner à la T.P. comme dans le bon vieux temps. Sauf que le camion n'a pas voulu. À cause des bombes et des machines de guerre, il nous a fait faux bond. Je poursuis par conséquent mon travail relais. J'ai espoir d'arriver à mettre un peu d'ordre dans tout ça, ma vie et la compréhension que je peux en avoir, pas tant comment j'en suis venu là, mais plutôt comment je veux vivre désormais, compte tenu de ce qui dépend de moi ou non.

Il faudra faire un plan afin d'éviter la confusion. Je rappelle que cet ouvrage est une sorte d'essai sur moi-même. J'écris aussi ces notes dans le but de les offrir à ma fille, mais ça reste à voir. Je ne tiens pas forcément non plus à les offrir à Élise qui probablement connaît déjà ce que je cherche à découvrir sur moi. De toute façon, ce qui suivra risque de raviver d'anciennes blessures dans la mesure où ce que je fais est inconcevable sans flash-back, mais je ferai ces incursions dans le passé afin d'aller de l'avant.

Me révélant à moi-même, je pourrai en finir avec ces jeux de miroirs déformants et enfin être avec Véronique le père que je veux, peux et dois être. Ce devoir ne tombe pas du ciel, c'est plutôt une ascension, ma planche de salut.

Quant à Élise, je lui proposerai au terme de cet ouvrage un nouvel homme, pas un surhomme, certes le même qu'hier mais changé, passé par le trou de l'aiguille de la fable évangélique, descendu aux enfers puis ressuscité des morts dont le deuil doit prendre fin, un jour ou l'autre.

Pour toutes ces raisons aussi valables les unes que les autres, je dois faire un plan, établir une stratégie, trouver l'ordre dans lequel j'aborderai les différents sujets que voici:

A) Tante Alice, *Au fil des jours*, édition 92, petit ouvrage consacré à l'Année internationale de l'espace. J'expliquerai pourquoi je vis avec ma tante, ce qui ne fait pas très actuel mais c'est comme ça.

B) Mes échecs. Retournés comme un gant, il apparaît que ce sont des réussites. Ces dernières sont rares, les premiers plutôt nombreux, et je trouverai donc plus tard l'ordre dans lequel je les traiterai: échecs scolaires, surtout universitaires à cause de ma défection en fin de parcours; échecs de carrière, zigzaguant d'un métier à l'autre, mais toujours dans le domaine des boiseries, de la menuiserie, tel père, tel fils; échecs surtout relativement au chapitre de ma vie sentimentale, et c'est ici que le bât blesse.

C) Occupant dans la série une place de choix, l'épisode Mona, le pire de tous. C'est pourtant le moment où l'argent se met à rentrer dans ma vie; je porte une cravate, petit monsieur, je fais de bonnes affaires, mais I've got an affair. Ma période presque hard-core. Elle n'a guère duré: d'étalon que j'étais alors, je suis devenu plutôt picouille, vieille bourrique. J'en reparlerai, péniblement.

D) Plus amusantes, ma jeunesse et mon amitié avec Jean de la Lune. La rencontre au collège après le concert des Beatles au Forum. On se reconnaît immédiatement, frères de sang. Nos premières guitares, «Here, There and Everywhere», notre chanson d'amitié, le pot en cachette, le café Prague rue Bishop, mais faut-il écrire comme le nom de la ville? On y rencontrait toute une faune, gars de groupes, jeunesses, petite pègre, puis on fréquentait aussi la Planque à Loulou, d'autres salles de danse, où on a fini par jouer, mais c'est au collège Saint-Laurent qu'on a atteint le sommet.

E) Puis le quatuor d'Élise, la plus belle fille du monde, un teint de clair de lune, la douceur mais la force tranquille, mon premier, mon seul et véritable amour. Fin de l'adolescence, Jean de la Lune dans la brume, je deviens sérieux, la Lune s'éclipse; le scénario est on ne peut plus classique. On se revoit de moins en moins, puis on ne se retrouve plus que pour se perdre de vue. Des années passent. Un jour, il frappe à ma porte. Depuis, on and off il cogne des clous avec moi, manière de partenaire, genre traîne-la-patte, moi je cherche à remonter, mais lui coule à pic. J'ai un ami qui est en train de laisser faire le fleuve, j'ai un fétu qui n'a pas lu Épictète.

J'ordonnerai ça plus tard. Pour l'instant je reviens au *Fil des jours*, petit livre-calendrier qu'Alice a reçu à Noël. La moins folle de mes cousines le lui a donné. À l'heure qu'il est, le fleuve aurait emporté Alice, n'eût été du soupçon de cœur qui bat dans ma poitrine, même si le monde pense plutôt que je profite d'elle. J'en reparlerai.

Le principe est simple. C'est une sorte de livre. Tu en lis chaque jour deux ou trois petites pensées. Je le fais pour elle à tous les soirs ou presque à cause de sa vue qui baisse, mais je n'y fais aucunement allusion afin de ne pas la blesser davantage. Peut-être surtout par curiosité, ayant vu le mot d'Épictète quand elle l'a reçu. Je les lis aussi à Véronique si je les trouve bonnes. Sur ce plan, elle n'a pas eu mon enfance parce qu'Alice, très pieuse, y a vu. Je veux dire: Alice a vu dès mon enfance à ce que je reçoive une éducation religieuse adéquate. Mais moi par la suite j'ai pris la tangente de ma génération, de mon époque, si bien que ma fille ne sait pas à quel saint se vouer. Donc, je l'accroche au passage et quand c'est pas trop vieux jeu, je lui donne à réfléchir. Je commente aussi, ayant un penchant pour l'exégèse. Cette phrase, l'autre soir: «Ayons patience avec nous-mêmes, et que notre portion supérieure supporte le détraquement de notre portion inférieure.» C'est de saint François de Sales. Je sais, j'ai de mes amis qui me diraient, enfin je n'ai qu'un ami et il ne va pas très bien, Jean de la Lune dirait ni tout à fait blanc ni tout à fait noir, qu'avec les chrétiens c'est toujours le ciel ou l'enfer, qu'il faut pousser plus loin, que ce n'est pas si simple, le bien le mal, les bons les méchants...

Et encore, ce proverbe arabe, en date du 10 janvier lui aussi: «On ne jette pas de pierres à l'arbre qui ne porte pas de fruits.» Mère Teresa y figure, même Einstein collabore qui était loin d'être un deux de pique. Il a écrit ce qui suit: «Seule une vie vécue pour les autres vaut la peine d'être vécue.»

Cela fait chaud au cœur de voir qu'un grand homme a dit ce que je mets en pratique sans en avoir moi-même écrit la théorie, car dans les faits je peux presque affirmer que je vis pour Véronique et Alice, malgré Mathieu, et dans l'espoir d'Élise. Cette dernière étant la seule ombre au tableau et Mathieu étant l'autre face de la lune qui n'est jamais éclairée.

Véronique vient de rentrer, je l'entends là-haut qui fait du bruit à la cuisine où elle fouille dans le frigo. Alice se lève, elle fait la sieste avant son retour de l'école, puis les deux parlent ensemble et moi j'irai les rejoindre quand j'aurai consigné une autre tracasserie dont le sujet me hante.

Il s'agit de l'opéra. Je voulais tellement faire plaisir à Élise. Je nous ai abonnés pour la saison. Le 24 février c'est Tchaïkovski, *Eugène Onéguine*.

J'ai vu *Tosca* tout seul. Ensuite j'ai traîné Jean de la Lune de force, mais épuisé par un sauna, il a cogné d'autres clous pendant *Rigoletto*. Avec son organiste, Élise aurait pu s'y rendre, je l'ai offert, elle a refusé.

C'est dans un peu plus d'un mois. Ce serait une vraie sortie, je serais sage. Il n'y aurait pas ce genre de malaise qu'on vit quand je reconduis Véronique chez elle et qu'Élise vient me voir dans le camion pour qu'on règle des affaires, des papiers, son courrier... Tout le monde est mal, à commencer par Véronique dont c'est le rêve que ça reprenne, et je sens malgré tout qu'elle m'aime encore, un peu, dans son sourire où point une lueur d'autrefois, un peu de braise sous la cendre, et moi j'ai tout ce qu'il faut de petites branches sèches, de la patience en masse pour souffler doucement sur la flamme timide au début, mais ça peut revenir si on s'y prend correctement.

Un jour, avant Noël, on a mangé au Laurier, je parle de la rôtisserie, l'autre en face je n'y mets pas les pieds, ce n'est pas mon genre. Elle n'a presque pas touché à son assiette, mais j'ai bien vu que ça lui faisait plaisir de me revoir. Elle souriait au début, de moins en moins par après, et j'ai fini alors par adopter le ton cynique, la ligne dure, surtout au sujet de sa grosse tapette d'organiste qui n'est pas si grosse ni si tapette que ça.

Bien sûr je suis jaloux. Et j'ai honte d'avoir tourné au ridicule un tantinet féminin, je suis ordinairement plus clément et capable de prendre les autres comme ils sont, sauf s'ils me prennent ma femme et mettent leurs pieds dans mes plates-bandes sans compter que Véronique l'apprécie à sa juste valeur.

Élise me dit que ce n'est qu'un ami, je veux bien le croire. Je reste cependant sur mes gardes, on ne sait jamais, le type pourrait virer son capot de bord, et hop! s'il était chevalier de la manchette, ce n'est plus le cas et il convole en justes noces avec ma dulcinée, vaut mieux ouvrir l'œil.

Véronique vient de m'appeler pour le souper. Bon, ce sera tout pour aujourd'hui, sauf un dernier mot encore au sujet de la fidélité. Élise m'a dit que je suis libre sur ce plan, que je dois vivre ma vie sans penser à elle. Or je ne m'exécute pas. Je ne sais plus trop quoi faire. Je veux l'attendre mais c'est dur. Je voudrais une présence, un peu de chaleur féminine. Je regarde à gauche et à droite, mais le cœur n'y est pas, c'est qu'il appartient à Élise qui n'en veut plus, qui fait comme ou qui croit n'en plus vouloir, ça ne se tranche pas au couteau.

Parfois je songe au dicton qui dit que le cul c'est le cul; qu'en attendant je pourrais bien voir à mon hygiène personnelle malgré la kyrielle de virus qui se cachent dans certaines petites culottes, malgré le manque d'amour qu'on trouve chez ceux qui ne le font pas, mais s'adonnent à une gymnastique impure et malsaine ou à une sorte de lutte gréco-romaine, plutôt masturbation à deux alors qu'une solitude plus une autre ça ne fait jamais que deux plus grandes solitudes.

C'est l'heure du souper. Mais je ne me fais pas servir comme un pacha, Alice n'a eu qu'à réchauffer mon pâté chinois.

4

Sur un chantier de construction tout le monde est correct avec tout le monde, cependant, gare aux loups! et comme dit le proverbe arabe du *Fil des jours*: «Mets ta foi en Dieu, mais attache ton chameau.» C'est un fait, tout le monde se mêle de ses affaires, code d'honneur, croix sur mon cœur, courtoisie virile, probité d'hommes solides, mais attache ton chameau, ouvre l'œil et le bon, surveille tes outils, ça se perd dans le temps de le dire, ni vu ni connu, et bien mal foutue la victime, en aucun cas elle ne peut porter accusation, tout le monde autour est innocent.

Tout ça, je l'ai dit mille fois à Jean de la Lune: éloigne-toi pas du stock, sois toujours là. J'avais l'air d'un perroquet, ça lui tombait sur les nerfs, mon manque de confiance, ma paranoïa, sauf que je parlais d'expérience et pas plus tard que ce midi on en a eu la preuve.

À cause du retard d'hier, because le froid sibérien et que le camion faisait des siennes, on a décidé de se faire un lunch pour sauver du temps et de le consommer sur place, ça nous arrive souvent par souci d'économie.

On rangeait nos affaires. On sortait nos sacs à lunch quand je montre à de la Lune la perceuse du plombier qu'on avait eu dans les jambes durant tout l'avant-midi par manque de planification de ces maudits entrepreneurs généraux dont j'aurai l'élégance de taire les noms, puisque effectivement tout est à l'envers. Il fallait qu'il enlève les panneaux du plafond afin d'isoler les tuyaux, nécessaires dans les cas où l'on installe des saunas-vapeur. C'est un contrat de trois saunas et tout le monde se pousse dans le dos parce que le chantier accuse du retard par manque de planification adéquate de la part de ces grands téteux dont je tais les noms par convention professionnelle. On comprendra que dans de telles conditions tout soit sens dessus dessous et que ce que l'un fait, l'autre doive le défaire, comme c'était le cas avec ces tuyaux et comme ils le feront pour les douches, puisque le plancher de céramique pour chacune d'elles est un plancher ordinaire n'offrant aucune possibilité de drainage, à cause d'un oubli dû à un manque de planification.

C'était une distraction, pas le plancher qu'il faudra refaire mais la perceuse électrique dont je voyais poindre sur l'établi le mandrin et le mors ainsi qu'une partie du boîtier. Or donc je m'empresse de la débrancher. Elle est toute récente et de qualité supérieure aux nôtres. Je la mets en évidence sur l'établi afin que son usager l'aperçoive à son retour. Certes, il serait simple de la fourrer dans nos affaires. J'explique à de la Lune que le type n'aurait rien à dire, ne pourrait pointer personne du doigt, que tout ça dépendait de lui mais n'en dépend plus, que d'ailleurs n'importe qui, et pas forcément nous, aurait pu dérober ledit objet, parce que sur un chantier il y a un va-et-vient comme nulle part ailleurs.

Mais nous n'en ferons rien à cause de notre professionnalisme qui est la marque de commerce de mon entreprise: politesse avec le client, conduite régulière, sinon exemplaire, avec les autres corps de métiers. Ainsi nous contenterons-nous de surveiller l'outil, de le protéger contre quiconque aurait l'œil dessus et la main preste au recel.

C'est l'heure du repas. On s'installe dans le sauna des hommes, par terre sur des paquets de planches. On rigole, blagues de chantiers entendues dans l'ascenseur, que du cul ou à peu près, plaisanteries de notre cru, propos légers. Puis la discussion porte sur les actrices de l'heure: Macha est-elle plus belle que Marina? et niaiseries du genre afin de passer le temps.

Sur ces entrefaites, un des gars de l'électricité arrive, Michel, assez jeune, j'ai avec lui des rapports corrects, échanges techniques sur l'emplacement des fils et du panneau électrique. Fin de l'entretien, je retourne avec Jean et continue de manger. L'électricien demeure dans l'autre pièce où il voit à ses affaires, examine je ne sais quoi, on l'entend qui marche à côté, il est encore là, on ne prête pas attention à son va-et-vient, Marina est pas mal plus belle, oui et non, c'est partagé, je pense que oui, quand soudain, vive comme l'éclair, une ombre passe et on entend le bruit que produisent des mèches dans le fond d'une boîte métallique, suivi de pas précipités. Je regarde Jean, passe une seconde où les pensées se bousculent dans mon cerveau, puis je bondis, sors du sauna. Sur l'établi il n'y a plus de perceuse, je m'élance à la poursuite du voleur, Michel n'est plus là, disparu dans le temps de le dire.

Maintenant, il ne nous reste plus qu'à attendre. Et c'est certain, les plombiers vont nous accuser, nous regarder de travers et ternir notre réputation.

Après le travail, en sortant, j'ai croisé les gars de l'électricité. Je ne les ai pas manqués quoique ma subtilité n'y allait pas de main morte. J'ai jeté des regards obliques, lancé d'insidieuses remarques sur comment ça part vite ici les outils, de faire attention, on ne sait jamais, il y a des voleurs dans le coin. Le climat s'envenimait. Jean de la Lune admirait mon sang-froid.

Le gars qui travaille avec Michel a demandé des explications. J'en ai donné. Toute la vérité sur l'histoire de la maudite drille. C'était clair, je les accusais. Mets ta foi en Dieu, mais sacrament attache ton chameau!

5

Il ne faut jamais juger avant d'avoir toutes les preuves à portée de la main. Juger avant de pouvoir le faire en bonne et due forme donne lieu à ce qui s'appelle un préjugé. Ajoutons que de notre côté de l'Atlantique l'accusé est d'abord présumé innocent et qu'il faut constituer la preuve de ce que l'on avance si l'on veut parvenir à le faire condamner. Est-ce ainsi que fonctionne vraiment la charte des lois en Amérique du Nord? Je l'ignore, mais chose certaine je me suis fourré le doigt dans l'œil, et le bon, parce que le futur a révélé qu'il aurait été préférable d'accorder à Michel pas mal plus que l'ombre d'un doute, c'est-à-dire de lui donner ce bénéfice au départ plutôt qu'au fil d'arrivée. Ça m'apprendra.

Je suis dans l'aquarium malgré l'heure tardive pour cause d'insomnie. Je raconte cette histoire d'outil volé afin d'en tirer une leçon que je ne suis pas près d'oublier. Aussi, n'est-il pas interdit de croire que ce faisant la leçon portera fruit auprès de mes héritiers. Le mystère s'est éclairci et j'ai rougi de cap en pied. Après quoi, comme il se doit, j'ai présenté mes excuses à droite et à gauche, mais surtout aux gars de l'électricité pour les avoir si bêtement couverts de sous-entendus en face des gars de la céramique, avec tout ce qui s'ensuit de rumeur au niveau de la réputation des uns et des autres, salie par ma faute, ce qui démontre si besoin en était qu'un véritable détective n'est pas un phénomène de génération spontané.

Parce qu'on était là et malgré une manière d'angle mort dans notre champ de vision, mais encore faut-il en prendre conscience, or précisément s'il est mort ça ne saute pas aux yeux et ça m'excuse au moins partiellement, je dis donc que parce que nous étions présents sur les lieux, dès le bruit que fit, après des pas de loup, en coup de vent une petite boîte métallique vite remuée, auquel fit suite une succession de pas en fuite, je déduisis qu'il ne pouvait s'agir que d'un délit et j'accusai le premier suspect sur la liste, d'autant plus que mes poursuites pour lui mettre la main dessus s'avérèrent tout à fait vaines, ce qui l'accusait encore plus.

Erreur! Car j'ai eu beau faire mon petit Sherlock Holmes, il n'était pas l'Arsène Lupin de ce forfait. Toutes les leçons données à de la Lune me font pareil à l'arroseur arrosé puisque j'ai eu tort, du moins dans les faits mais la théorie demeure bonne, à savoir que les outils disparaissent comme des petits pains chauds.

J'explique. Le plombier avait tout simplement oublié son outil, ça c'est clair, tout le monde le sait. Mais nous on dînait tard, à l'heure où justement les chantiers se vident parce que les vrais gars de la construction commencent à 7 heures et sortent à 3 heures p.m. la plupart du temps, sauf exception.

Or c'est ici que le voile se lève. Le plombier s'est finalement rendu compte de son trou de mémoire, il a dit à un de ses hommes d'aller chercher la perceuse, le gars est monté en catastrophe, pas une seconde à perdre, on l'attendait en bas, c'était la fin de sa journée, il n'allait pas moisir sur place. Michel venait de nous quitter, l'autre, pressé pour les raisons que je viens de dire, passe comme un éclair, je suis rapidement à ses trousses que je confonds avec celles de Michel et j'enrage en me disant que maintenant c'est nous qui serons accusés par le plombier puisque tout joue contre nous.

Me suis-je bien fait comprendre? Je relis ce qui précède et je crois pouvoir répondre par la négative, tout me semble dit de travers, avec manie de complication, phrases interminables, dans un sens puis dans l'autre. C'est que le monde est vaste. Chaque petit problème est relié à un autre. Une personne en amène une autre, une famille ne vient jamais seule, il y a le milieu, la société, mille ramifications difficiles à suivre quand il est si tard et qu'on a travaillé tout le jour, alors on est épuisé, c'est le chaos et on se redit qu'il faudra mettre de l'ordre dans sa vie et dans sa pensée.

J'ai besoin de fonctionner autrement, de reprendre les choses par la racine, quitte à poser la question de l'efficacité de ma démarche, même au cœur de ces pages. Ce n'est peut-être pas la solution, tant de papier noirci pourquoi et pour qui?

Je ne crois plus être en crise, même si la tendance à m'enfermer ici persiste encore. En tout cas je n'y cède pas et le spectacle des poissons est redevenu ce qu'il n'aurait jamais dû cesser d'être, mais tu n'es pas maître dans ta maison quand nous y sommes, c'est ce que pourraient dire nos plus folles pensées au moment où l'on a perdu le nord. C'était mon cas, je restais ici avec les poissons, devant l'aquarium parce que la pièce est conçue en fonction, il est multidirectionnel, il est partout autour de nous, il monte, il descend, il y a une fontaine, des couleurs féeriques, un château où parfois ils vont mourir et ça rend les choses compliquées parce qu'il faut enlever les cadavres, bref ça m'amuse de père en fils et c'est mon droit. Il est unique en son genre. J'expliquerai très certainement en quoi il est hors du commun, mais le problème est le suivant: pourquoi vais-je l'expliquer? Moi je n'ai pas besoin de ces explications, Élise non plus. Alice le connaît comme si elle l'avait tricoté, elle va d'ailleurs partir avant moi et j'en frémis parfois, ma fille sait très bien qu'on possède un aquarium de cet acabit, Jean de la Lune, tout le monde le sait, mon docteur aussi.

Or je me dis que ça ne tourne pas rond, que je perds mon temps, ça m'énerve, alors que je prévoyais une sorte de baume sur mes plaies, j'attendais que ces travaux me guérissent davantage. Mais ne suis-je pas encore malade, et si oui, ma maladie est-elle moins grave qu'hier? N'est-elle pas en train de reprendre ses forces dans quelque repli de mon âme, et alors, un de ces jours, elle redoublera d'ardeur, vague de fond immense, elle passera enfin à l'attaque, dans un assaut final, et ma vigilance ayant été trompée, je serai pour elle une proie facile?

Il faut lutter. J'ai choisi mes armes, l'introspection philosophique. Par cette curieuse activité, je plonge tête baissée dans une vaste entreprise qui semble n'avoir aucune fin, aucun terme. J'ai ouvert une porte, et depuis ça n'arrête pas, je vais dans une direction, la voie donne naissance à autre chose, je monte, je descends, il y a toutes sortes de portes nouvelles, je les ouvre ou bien j'ai peur, c'est l'aquarium tel que papa a bien failli en faire un monde infini où se perdre, et comme un poisson par après on n'a même plus pour le retirer une épuisette qui convienne parce que c'est plein de racoins, un labyrinthe de verre, avec des algues multipliées par des dizaines de miroirs. Or pour moi il me semble que c'est comme ça, je m'épuise à tourner en rond, je finis toujours par être complètement exténué, adossé à un mur afin de reprendre mon souffle et pour retrouver mes esprits, il faut le dire c'est une ivresse, alors je suis assis par terre et je suis un mendiant, une loque dans le sens pathétique du terme, un fou qui dit n'importe quoi, parce que dans les faits je ne suis pas un mendiant, sauf auprès d'Élise et encore, il n'y a pas de dédale et le Minotaure est une machination monstrueuse de l'esprit, il n'y a rien d'autre qu'un poisson, pris dans ses propres filets, pris à son propre jeu, celui qui consiste à mettre de l'ordre, mais ça ne donne pas le résultat escompté, alors il lui faut tout recommencer depuis le début, c'est pour ça qu'on a l'impression que ça ne finira jamais, c'est parce que ça n'a pas encore vraiment commencé.

Alors, il faut faire contre mauvaise fortune bon cœur, tabula rasa, reprendre depuis le début, en apportant une précision importante, à savoir que je ne suis pas plus fou qu'un autre, et que si je pose une question qui se ramifie à perte de vue, je retrouve presque toujours le fil, et c'est ainsi que j'y reviens maintenant: Élise le sait, Alice tout autant, ma fille ainsi que Jean de la Lune, alors pourquoi tenter de décrire l'aquarium?

Je sais ce que je fais et les raisons qui me poussent à agir de la sorte; la question porte maintenant sur le destinataire, car j'en suis venu à l'idée suivante: je fais cet essai sur moi-même dans le but d'en finir avec moi-même, suicide de la fausse part pour que naisse au grand jour celui qui en dessous étouffe pour cause d'imposture quant à ce qu'il s'impose comme travestissement au-dessus de lui-même.

Je faisais erreur en pensant à la postérité. Ce n'est pas pour ma fille qu'il faut donner suite à ces notes. C'est à court terme qu'il faut songer, si au bout du compte on veut au-delà de notre existence continuer d'exercer sur les autres une heureuse influence. Elle n'a pas besoin de traces de moi qu'elle pourra suivre dans trente ans, mais de présence affective à l'heure actuelle.

Mon travail par conséquent ne consiste pas en l'objet qui en résultera, forêt de mots enchevêtrés par lesquels je ne repasserai sans doute jamais, il porte plutôt sur la traversée de cette forêt métaphorique, dans le sens où par l'essai je cherche à me ressaisir afin de me construire à mon gré, selon mon propre désir.

Cette pensée, Épictète l'a-t-il eue? Le pharmacien du coin, l'éboueur, l'hygiéniste dentaire, qu'ils tiennent ou non leur journal intime, simple appendice de la pensée plus ou moins rêveuse qui n'arrête pas dans nos cerveaux; le monde entier réalise-t-il que ce qui compte ce n'est pas le carnet mais le mouvement de la pensée qu'il rend possible et par lesquels mouvement et pensée on cherche à atteindre sa vérité? On me dira que c'est une pensée commune à tous les rédacteurs de mon genre, tant mieux! J'allais quant à moi commettre une erreur en donnant à lire une longue lettre, alors qu'il faut s'évertuer à retrouver ses esprits, la lettre n'étant que la méthode et non pas le but visé.

Je vois ça d'ici: lettre à ma fille. Tous ces mots, s'ils étaient destinées à Véronique, immanquablement je chercherais à les enjoliver, à faire plus beau que nature ce qui ne doit pas être un portrait mais une trajectoire de l'âme.

Ni donc à Élise ni à personne. Mais je songe ici à cet homme que je ne connais pas et qui me connaît tant, qui m'écoutait sans mot dire et auquel progressivement j'en suis venu à parler comme on ne peut parler à personne d'autre. Il faut ici tenter de recréer ces conditions, mais c'est difficile à cause de son absence, pareille à celle des morts. J'ajoute que ces gens-là déambulent dans les rues avec une partie de votre âme; je pense en tout cas qu'il était une sorte d'ange. Cette absence, chose certaine, ne rend pas les choses faciles et c'est la raison pour laquelle je n'ai pas vraiment raccroché l'appareil au sens rhétorique du terme, et poursuis quant à moi nos entretiens lorsque je suis sur la route ou avant de m'endormir.

Dans un autre ordre d'idées je pense le contraire, c'est-à-dire à la possibilité de m'adresser vraiment à mon public. J'ai des choses à dire qui pourraient être utiles. Je pourrais puiser dans ces pages en leur faisant subir toutefois un certain traitement de texte, de manière à leur conférer un aspect plus officiel, de type nettement universitaire, avec par exemple notes en bas de page. On ne me verrait pas dans ces pages. J'aurais évacué les lieux pour laisser place à une sorte de conférencier qu'on écoute sans chercher à savoir ce qu'il aime et déteste dans la vie parce qu'on est là pour autre chose de plus sérieux, de plus objectif.

Faute de posséder le lexique adéquat et les rudiments philosophiques de base, j'utiliserais les mots de tous les jours. Je m'attaquerais aux grands problèmes du monde, mettons aux malheurs de la drogue. Jean de la Lune me servira de modèle. Je ne dirai pas: pourquoi mon meilleur ami est-il devenu la pâle copie de ses rêves les plus chers? Je ferai plutôt comme à la télé quand on protège l'identité d'une personne-ressource en lui mettant une sorte de sac d'épicerie sur la tête.

J'aurai ensuite un chapitre sur la question du héros et des mythes. J'y montrerai que pour certains individus il est impossible de vivre sans déformer la réalité, que cette déformation condamne au malheur, à la recherche de miroirs trompeurs. Dans la vie, il n'y a que trompeurs, trompés et trompettes. Alice le dit, c'est un dicton de son temps.

Ce chapitre pourra s'intituler: Le syndrome de la grenouille. Qui ne s'en souvient pas? On a tous lu au moins un ou deux vers de ce célèbre fabuliste du siècle de Louis XIV. Fidèle à sa leçon, mais extrapolant à ma manière, je montrerai combien la grenouille ne devient vraiment héroïque et admirable que dans la mesure où elle réussit à contourner ce piège, qu'il lui faut, comme à nous, éloigner Satan, métaphoriquement parlant, car il symbolise dans l'Évangile, au moment où Jésus jeûne dans le désert, cette mégalomanie, quand il lui dit que toute cette vaste étendue sera son domaine, véritable folie des grandeurs, et un Hitler n'était au départ qu'une grenouille: «Ah! ah! si tu es vraiment celui que tu crois être, change cette pierre en pain de fesse», en d'autres mots, fais un miracle, donne des preuves, c'est ce que disent les incroyants, et je les comprends, étant la plupart du temps de leur camp, mais je vacille, c'est un raisonnement un peu puéril, je vais expliquer en quoi.

Les athées ont déjà dit que si Dieu existe, il ne se montre pas bien souvent le bout du nez, sinon à des espèces d'illuminés absolument indignes d'intérêt sur le plan scientifique pour des raisons qui sautent aux yeux: ce sont peut-être des fous. Parenthèse: Souvent Alice qui a la tête toute pleine de dictons de la belle époque me fait part de celui-ci: les savants cherchent la lumière, les fous leur en donnent.

Cette réfutation de l'existence de Dieu n'a rien de très valable dans la mesure où il y a là une sorte de vice de la procédure. Ils procèdent à peu près ainsi: Si Dieu ne se montre pas le bout du nez, c'est qu'il n'en a pas. Je trouve cela tout à fait comparable à une idée d'enfant de dix ans.

Jésus est le héros-grenouille par excellence. Ne refuse-t-il pas de faire le bœuf quand Satan lui présente le monde sur un plat d'argent? Ce que Satan ne sait pas, c'est qu'il ne tient pas le plateau, mais qu'il occupe lui-même une place de choix dans cette sinistre histoire, étant métaphoriquement la cause principale de ce chaos, d'où le refus exemplaire du Christ.

Mon essai ne sera pas du tout théologique, mais dans une note en bas de page il me faudra montrer à mes contemporains à quel point ils manquent de souplesse intellectuelle en matière de religion. Ils ne comprennent pas du tout l'aspect symbolique de la plupart des gestes et paroles de la liturgie. Par exemple, quand Jésus nous dit qu'il est le fils de l'homme, ne dit-il pas aussi en quelque sorte que Dieu est invention de l'homme? Et toutes ses fables, pas une n'est piquée des vers, pas une ne laisse indifférent, je songe au marxisme de celle qui montre à quel point il est plus difficile à un riche d'entrer dans le royaume des cieux qu'à un chameau de passer par le trou d'une aiguille. Les gens prennent tout au pied de la lettre ou alors ils se perdent aux confins de l'exégèse.

Il y a une grande erreur qu'il faut dénoncer, elle concerne la surdité des fidèles quant au message évangélique, leur infidélité atteint souvent de vastes proportions. J'explique. On a salué le passage d'un monde ancien à un ordre nouveau offert aux hommes par le Christ en croix qui le symbolise. Mais la tromperie saute aux yeux. Les Juifs n'y ont vu que du feu. Il leur fallait un messie-bœuf, Jésus de toute évidence n'était qu'une grenouille. Ils sont restés dans l'Ancien Testament. Les chrétiens aussi sont encore avec eux, du moins pour la plupart, et ce pour des raisons analogues, ils se sont fourré un doigt dans l'œil. Le Christ lui-même est en partie responsable de leur méprise, parce que entre-temps il s'est pris à son propre jeu, c'est mon opinion, une hypothèse.

Mon impression est la suivante. On l'a pris pour le Christ, il n'a rien fait pour mettre un frein à leur folle recherche d'absolu, il y a eu un effet médiatique incroyable, par la force de sa renommée il s'est métamorphosé aux yeux du grand public qui a toujours soif de nouveauté, de grandeur, croyant l'atteindre par transitivité: je touche la robe d'un grand homme, sa grandeur alors m'atteint et me transforme.

Mais le pire de l'erreur était à venir. En effet, à partir du moyen âge, je crois que les chrétiens ont de plus en plus refusé d'être des grenouilles, frog est d'ailleurs une insulte majeure au Canada français.

Je traiterai aussi des rapports sexe-religion. Partant de l'hymen de la Vierge, il s'agira d'expliquer un plus grand mystère, à savoir que la sexualité a été à l'origine de sa négation. J'expliquerai que la religion évacue le sexe pour mieux le propulser aux nues. L'expression «le septième ciel» exprime avec éloquence que la sensation n'a pas pu être cataloguée autrement qu'en comparaison avec le bonheur futur qui sera nôtre dans l'éternité. Par ailleurs, une autre expression, celle de la «petite mort», montre assez bien le culte qu'on voue au sexe, même si les fidèles disent que les anges n'en ont pas, ainsi que le confirme l'expression «le sexe des anges». «Petite mort» force la réflexion, compte tenu de l'appréhension des fidèles et des incroyants. On peut noter l'importance de la mort dans les religions et surtout dans la nôtre, si bien que la plus belle chose est à la fois péché dans certains cas, ou parfois prend l'aspect d'une félicité céleste.

Ce ne sont là que des ébauches transitoires où le rôle de l'inspiration me donne des ailes qu'il faudra soumettre à rude épreuve: dans de tels travaux l'objectivité est de mise. Du reste, je ne m'avancerai qu'avec circonspection sur les terrains vagues et souvent minés de la philosophie des religions, combien sujette à controverse due aux imprécisions de la pensée, puisque Dieu échappe aux visées de la science dont le principe est la raison. Par voie de conséquence tout ce qui a trait à Dieu fait que les scientifiques s'arrachent les cheveux.

Cependant je tiens à la question du mythe et du héros. Les récents accomplissements de l'histoire, ses soubresauts, ses travestissements dans les pays de l'Est, apportent de l'eau à mon moulin et confirment mes théories quant à la fable de La Fontaine. Plus précisément, la fin tragique de l'U.R.S.S. montre avec cruauté qu'un monde sans mythe véritable, et non pas étatique, qu'un monde sans imaginaire, dis-je, est une lamentable utopie dans la mesure où l'homme ne peut pas y vivre à part entière puisque les grenouilles y sont explicitement condamnées à demeurer grenouilles, ou alors seulement une fausse évolution est autorisée mais uniquement sur le plan de la bureaucratie et ce, dans les limites qu'elle vous impose.

J'apporterai des précisions ultérieurement. Pour l'instant une contradiction me semble infirmer mes hypothèses, car paradoxalement l'idéal communiste serait de pouvoir ramener les choses à leur réelle proportion, afin d'éviter l'inflation orgueilleuse de la grenouille chez tous nos camarades. Le monde communiste initialement avait cette ambition de type égalitaire: ramener les choses du monde, et l'argent, et la politique, à leur place, à la case départ: nous sommes tous des créatures de Dieu, la religion est l'opium du peuple, ce que les philosophes ont fait jusqu'à présent c'est expliquer le monde, ce qu'il faut faire c'est le transformer, dixit Marx et ses nombreux émules.

Dans l'idéal, tout ça était bien beau. Mais comme avec les Juifs et les chrétiens, une erreur de perspective s'est produite. Les Juifs, on s'en souviendra, voulaient un messie qui puisse reprendre le pouvoir des mains de la Rome antique; par après, les catholiques et les protestants de la Réforme s'entre-déchirèrent pour le pouvoir ecclésiastique, j'ajouterai théologique, songeant tous deux que la religion leur donnait, lors des grandes découvertes par voie maritime, le pouvoir de nier les civilisations autochtones du Nouveau Monde. Mais les communistes? me direz-vous. Eh bien, idem, ils ont oublié l'essence du pouvoir. Ils n'ont pas compris que le pouvoir est essentiellement de nature capitaliste, que là où il y a pouvoir, il y a forcément et férocement capitalisme, et c'est là, en dernière analyse, la cause de l'effondrement du bloc communiste; c'est la raison profonde, et pourtant impensable de prime abord, de la fin tragique de l'Union soviétique.

J'ajoute que je pourrais laisser tout ça à des spécialistes. Mais j'aurai quand même mon mot à ajouter, et je crois qu'il fera du bien à tous ceux qui ressemblent au vieil homme évangélique auquel j'en étais moi-même venu à m'identifier inconsciemment, car je peux apporter du bien aux malades de mon espèce, je n'ai qu'à leur dire qu'il y a un secret, impossible à transmettre, un secret qu'on finit un jour par découvrir soi-même, mais il y a d'abord toute une série d'épreuves, qui varient d'un individu à un autre, que c'est un genre de clef qu'on met parfois toute une vie à forger, mais une fois la tâche accomplie tout est presque clair.

Ce mot à dire, je le dirai simplement, au risque d'être cloué au pilori du ridicule par ceux qui ne manqueront pas de me parasiter, c'est déjà fait puisque je n'ai rien inventé, ce message, d'autres l'ont livré, au risque d'être tourné en dérision par ceux qui d'abord se moqueront, mais qui par la suite rédigeront, comme ils le font toujours, des opuscules genre maigrir en dix jours, charlatans de la pire espèce, alors que cela tient en un seul mot, et qu'il suffit de vouloir le dire et le penser une fois pour toutes.

Je parle de l'amour. Le plus difficile ce n'est pas d'être au régime, c'est de le vouloir vraiment. Il en va de même avec l'amour qu'on cherche à gauche et à droite, alors qu'on n'a bien souvent que des définitions tordues de ce que c'est, et des attentes d'enfant de six ans à l'endroit de l'amour.

L'amour est toujours à portée de la main. Il ne s'agit pas de le trouver, il ne s'agissait pas de l'attendre mais de le donner. Moi le premier, j'ai perdu beaucoup de temps, mais c'est là ma plus précieuse découverte, d'une fragilité incroyable, on croit avoir rêvé, on se prend à rire de soi, pour peu on ne se reconnaîtrait plus si on se croisait dans la rue, à cause de la naïveté absolument conventionnelle de l'idée, on serait honteux, le coq chanterait trois fois, tous des saint Pierre et d'abord des Thomas, mais c'est vraiment une clef, je puis vous l'assurer, l'amour dépend de soi, implique une sorte de mort, celle du vieil homme évangélique, passage par le trou de l'aiguille, le bonheur existe.

Je le répète: des propos pareils, Pierre, Jean, Jacques en tiennent à la taverne du coin, niveau secondaire, on a une intuition, mais dès le lendemain on est dégrisé, on oublie ça rapidement, et c'est seulement vieux comme Alice qu'on va s'en souvenir.

Je contre-attaque, j'insiste, ce ne sont pas des lieux communs, ou alors oui, mais on n'entend pas ce genre de paroles, très communistes dans le vrai sens du terme, c'est-à-dire plus catholiques que les propos du pape, tellement chrétiens que le Christ n'a pas besoin de revenir, n'aurait pas vraiment eu besoin de venir, il aurait pu rester là-haut, certes sa mort nous éclaire, mais elle n'aurait pas été nécessaire, seulement personne ne comprenait ce qu'il disait, alors que son message était le plus beau et le plus grand qui soit. J'en reparlerai.

6

Évidemment, le plus simple serait de raconter sa vie en commençant par le commencement. Mais cela semble impossible. Pour bien raconter sa vie il faudrait être mort, non pas symboliquement, mais concrètement, ce qui est loufoque. Mais en admettant, pour fins de raisonnement, que la chose puisse être alors entreprise, il faudrait autant de temps pour réaliser ce travail qu'il en a fallu pour vivre, sans parler du fait que ça ne me dit rien qui vaille et que ça représenterait un intérêt mitigé, car il s'agirait là de mon passé quand c'est le présent d'abord qui nous intéresse.

Cher monsieur, je vois que je vous étonnerais encore. Je ne suis pas tout à fait l'idiot du village, mais il faut réfléchir. En effet, le présent qu'on n'a pas envisagé hier est un présent qui passe dans le temps de le dire. Pour vivre le présent pleinement, je ne veux pas dire comme un excité de fou qui n'en a jamais assez, il faut s'arranger pour avoir le temps de le voir venir, comme on fait avec les cours d'eau qu'on conduit avec fermeté dans d'autres directions que celles qu'avait prévues le relief. C'est la seule façon. Pas prévoir ses moindres gestes, mais savoir ce qu'on veut d'avance et, surtout, ne jamais oublier la leçon d'Épictète, c'est-à-dire tenir compte du fait que la volonté est une chose qui prend place dans le grand jeu de ce qui se peut et de ce qui ne se peut pas, dans la réciprocité du mouvement de la vie où il y a ce qui dépend de nous et ce qui n'en dépend pas, un désir pouvant se réaliser ou non, et nous ne devons jamais oublier alors nos limites dans un monde dont nous ne sommes que très rarement le nombril, sinon le dindon de la farce ou plutôt du drame.

Le drame, à bien y réfléchir, c'est qu'il y a des gens qui croient que ne pas être le nombril du monde c'est une catastrophe épouvantable. Comme on peut le constater, j'ai de la suite dans les idées, puisque c'est encore du héros que je parle, sans insister sur le jeu de mots populaire qui dit zéro à la place. On parlera ici de la sagesse des nations. Très tôt, j'en aurai pris mon parti, j'ai nommé le Parti communiste, d'inspiration marxiste et soviétique auquel j'adhérais mentalement à cause des limites actuelles de la géographie et du malheureux hasard qui a lancé mes dés génétiques ici plutôt que dans la Sainte Russie. Je parle encore de la notion du héros. On me lira avec un sourire agacé, on aura tort, je parle tout à fait sérieusement. Je m'explique. Les Occidentaux de l'industrie capitaliste et de l'ère informatisée croient dur comme fer que chacun d'entre nous doit être et peut devenir un héros. Il y a même une chanson de Madonna à cet effet, mais c'est désolant. J'aurais beaucoup à dire sur ses nombreuses erreurs, sans compter ses frasques et ses penchants calculés pour le scandale. Cette fille a un sacré caractère, une tête bien personnelle quoique empruntée à Marilyn Monroe, je l'aime bien et son nombril est un des plus vus du monde entier, or il est exploité, par elle-même d'abord et par ses agents qui se font les complices de la société de consommation. Certes, c'est un nombril tout à fait mignon, indiscutablement, sans mentionner le reste de son anatomie, qui soit dit en passant ne fait pas l'unanimité. Le drame de cette vedette, je vous le donne en mille, c'est qu'elle est victime du mythe nord-américain selon lequel un individu-grenouille (je n'ai plus à définir ce concept) doit chercher à connaître un succès bœuf, en deçà duquel une vie est irrémédiablement gâchée.

Ce mythe constitue précisément la pierre angulaire, le fondement du capitalisme qui malheureusement est une loi naturelle, biologiquement naturelle, inhérente à toutes les sociétés données. Ce que je dis est grave, car on voit poindre alors à l'horizon le spectre toujours renaissant de la guerre, on comprend qu'elle fait partie intégrante de ce que j'ai tantôt appelé le grand jeu. Et cette triste réalité nous éclate au visage au moment même où nous tendions à réaliser un vœu d'amour universel, je pense à tout ce que John Lennon a essayé de faire avec ses interventions pacifiques dans son lit, comme si toute tentative pour faire le bien relevait de l'utopie, étant on ne peut plus vouée à l'échec, d'où le succès des paradis artificiels chez ceux et celles qui après tant d'efforts politiques renoncent, et finissent par déclarer, sans enthousiasme, on les comprend, que tout est vain dans un monde où dominent les inégalités, la violence et la barbarie humaine.

Cela peut être étudié, d'ailleurs pas besoin d'être une tête à Papineau pour se rendre compte que, depuis que le monde est monde, l'homme est pour l'homme pire qu'une meute de loups, que cela est un principe naturel, comme la guerre chez les primitifs. J'aurai là-dessus un ou deux chapitres. J'aborderai les conquêtes militaires, du genre Hitler, Napoléon, prenant modèle sur la campagne d'Austerlitz et sur celles qui consistent à lancer des artistes et leurs produits, des denrées de toutes sortes, dites justement campagnes de promotion, c'est du pareil au même. Je m'inscris en faux, mais ne suis pas du genre à jeter les hauts cris, je n'ai plus vingt ans.

À l'aube de la quarantaine, l'indignation a une saveur moins revendicative. On regarde le monde, on déplore, on constate. Si on a des manches on les relève, un point c'est tout. Moi, j'interviendrai, ici d'abord, puis çà et là par le biais d'une philosophie politique dont je tente de définir les fondements depuis quelques pages déjà.

Procédons méthodiquement. Après la question du héros, sur le versant opposé apparaît l'homme du commun. Le premier venu, issu de la classe ouvrière, fera l'affaire. Il incarne parfaitement le degré zéro de l'héroïsme. Si le rêve protéiforme que lui imposent les grands écrans de la fiction médiatique ne l'a pas atteint, cet homme est encore sain et sauf. Mais ne rêvons pas en couleurs, tant de pauvres dans nos sociétés n'ont plus que le cinéma, véritable héroïne du peuple, pour les propulser dans l'autre monde, pour leur donner un semblant d'évasion; en fait il s'agit d'une insidieuse entreprise d'aliénation, concertée ou non, je l'ignore, il serait par conséquent dérisoire de chercher cet homme du commun dans le vaste monde depuis la disparition tragique de la Sainte Russie communiste.

Depuis la chute du mur de Berlin, tombé du mauvais bord, on a vu des milliers de gens agir comme de simples consommateurs. A-t-on compris qu'il s'agit là d'une éclatante victoire du capitalisme qui là-bas était loin d'être mort?

Parce que très tôt j'ai eu vent de ces mouvements de l'Histoire, parce que dans ma vie personnelle j'ai toujours voulu œuvrer pour la juste cause, dès la fin des années soixante j'avais choisi mon camp. Je ne tomberais pas dans le piège. J'ai dit non à l'argent, non aux honneurs, à la carrière, non à tout ce qui est produit à partir de la volonté qu'on a en nous d'avoir le dessus en toutes occasions, d'arracher le pouvoir aux autres alors qu'immanquablement il nous échappe et que sur toute la ligne on est entre le zist et le zest, mots que j'emploie parce qu'avec Alice il m'arrive de jouer au scrabble, mais je perds plus souvent qu'à mon tour.

Je reparlerai plus tard de tout ça. Pour l'heure, voyons ce qu'il en est du temps qui passe, du temps présent via l'avenir. Eh bien, je dois confesser qu'il ne se passe pas grand-chose et que j'ai tendance à oublier les faits et gestes de ma vie actuelle au fur et à mesure à cause de leur caractère répétitif, un clou, une planche, un clou, un sauna, pas de sauna, un autre, puis du travail de bureau, toujours la même chose, la même déception.

Quand je dis le présent via l'avenir, je veux dire une vie qu'on cherche à bâtir. Mais la tendance inverse est insidieuse, j'avoue qu'il m'est difficile de percevoir mon présent autrement que via le passé, avec lequel, bon Dieu! il est grand temps d'en finir si on veut vivre enfin. Il faut parfois oser un geste qui compte, un geste à teneur symbolique semblable à une vente de garage. J'explique: Élise voulait qu'on garde telle quelle la chambre de Mathieu. Mais pour moi, il n'était pas question qu'on vive avec les morts, j'en savais quelque chose et j'ai peut-être eu tendance à exagérer la dose, mais c'était impérieux et la pensée du Christ m'en a donné le courage quand il a dit que c'était à leur tour de s'enterrer entre eux. Élise a été placée devant un fait accompli et moi aussi quand finalement elle a tiré sa révérence.

Qu'on me comprenne bien, je ne suis pas un sans-cœur et ce dernier n'est pas de pierre; il y a une sensibilité qu'on doit cependant traiter à la spartiate, et je suis alors rentré dans sa chambre comme si j'avais été un étranger payé pour commettre un sacrilège dans une religion qui n'est pas la sienne. Il fallait faire table rase, laisser les morts enterrer les morts, ils savent très bien faire sans nous mais l'inverse n'est pas un pléonasme, bien au contraire. Guidé par cette idée fixe, la vie à tout prix, je me suis emparé du lit, des meubles, et je savais à peu près comment disposer de chaque chose: le lit dans la cave pour les amies de Véronique, les meubles çà et là, donnés dans certains cas, des jouets pour ses amis. Les livres qui nous auraient arraché des larmes, je les ai cachés un peu plus loin pour quand ça se prendra mieux. Plus vieux, un soir, on les sortira de leurs boîtes, et c'est sûr on aura les larmes aux yeux mais le drame sera derrière, on aura connu d'autres joies, ce ne sera peut-être plus pareil... Quand j'ai eu fini, il ne restait plus grand-chose. Alice a tout donné aux Disciples d'Emmaüs ou dans le genre, des vêtements pour l'essentiel, mais les plus touchants, Élise les avait déjà mis à part et c'est tant mieux pour elle.

Ensuite, une fois tout sorti de la chambre, il a fallu repeindre. Cela a fait une jolie salle d'étude pour Véronique et j'ai ajouté deux vieux fauteuils de papa là où elle causait avec ses amies. Ça faisait plus de place pour elle, et son frère n'en était pas plus mort pour autant. C'est de plus en plus comme ça que je pense qu'il convient d'agir à l'endroit du passé qui est parfois beaucoup trop fort pour nous, qui vient comme des bourrasques et qui détruit tout ce qu'on tente de faire pour se redresser et reprendre goût à la vie. Telle est ma pensée: agir fermement à l'égard du passé, pas en cœur de pierre qui ne souffre pas, que ça indiffère, mais en cœur d'homme et de femme qui n'ont pas le droit, à cause de ceux qui restent, de mettre avant l'heure un pied dans la tombe.

Jean de la Lune me dit que c'est du moralisme à la gomme et que je cherche toujours à contrôler mes émotions, voire même à les nier. Je serais du genre archifaux parce que je me fabrique sans tenir compte de mon moi véritable qui selon lui tend à couler dans les bas-fonds. Tant que la déprime n'en aura pas fini avec moi, j'aurai beau ruser, c'est elle qui aura le dessus.

Il a peut-être raison, mais alors! il faudrait renoncer, s'avouer vaincu, retourner vivre avec les poissons ou comme lui me poudrer le nez, lever le coude, m'envoyer en l'air avec n'importe qui, oublier qu'il me reste un enfant, quelques années devant moi?

Dans la tempête, à quel moment le capitaine doit-il sauter à l'eau? À la dernière seconde, c'est ce que je pense, et même alors, certains restent à leur poste et s'enfoncent dans l'abîme avec la carcasse martyrisée du vaisseau. Je crois, moi, au courage des stoïciens: le capitaine lutte bravement avec l'énergie du désespoir, cela est son devoir, son honneur, et il agit ainsi par respect et amour pour la vie. Il faut savoir se servir de cette énergie extraordinaire qui nous vient quand on a bu presque toute la tasse et que c'est le commencement de la fin, la limite extrême, on n'est plus rien, dans la glace on voit un moins que rien qui a tout perdu... Alors, tout petit, d'abord incertain, lointain, c'est peut-être le sourire d'une fillette qui saute à la corde, et il y a cette lueur sous les peupliers quand c'est le soir, un rayon de soleil relève un malheureux qui sombrait lentement, et c'est de toute beauté, la mère de cette enfant vient vers elle, on ne sait pas ce qu'elles se disent, mais c'est bien, on ne veut plus boire de cette eau-là, soudain elle nous paraît mauvaise à boire. Il y a des oiseaux qui volettent au-dessus de la mère et de l'enfant, des chardonnerets sans doute, si rares par ici, et c'est encore une joie. De toutes petites choses peuvent arriver. Plus loin, c'est le fleuve Saint-Laurent, on se souvient d'une matinée sur les galets avec la femme qu'on a tellement aimée, seulement on ne savait pas que la vie était si belle. Le fleuve Saint-Laurent, quand on ne voit plus de l'autre côté, est parfois agité, mais ses petits villages nous attendent chaque fois que revient le beau temps, on saute trop souvent par-dessus un été, deux, même trois et c'est un crime, on voudrait vivre là toujours, fêter là son centième anniversaire de naissance. Dans de telles conditions, pourrais-je, moi, accorder quelque crédit aux remontrances de mon meilleur ami qui me sermonne ainsi, je le soupçonne, parce qu'il trouverait peut-être du réconfort à me voir tomber avec lui?

Un jour, j'ai pleuré alors que tout allait bien, j'ai pleuré à cause de «Lindberg», la chanson de Charlebois. Je n'ai pas compris, ce n'est pas une chanson triste, mais elle venait du passé, à une époque où Mathieu vivait encore, je n'avais pas encore commencé à virer le monde à l'envers dans notre vie qui était bien trop belle pour que je m'en aperçoive. La chanson m'a eu par surprise. J'étais en auto, sur le pont Champlain et il y avait le fleuve qui s'en allait en Gaspésie, mais pas moi, on ne fait pas toujours ce qu'on veut. Je ne sais pas pourquoi j'ai pleuré ce jour-là. Par la suite j'ai été beaucoup plus malheureux sans verser une seule larme. Je ne comprends rien au bonheur et au malheur, c'est comme un ciel variable, c'est rarement tout l'un ou tout l'autre.

Je ne suis pas amer et je ne regrette rien. Même mon métier je le trouve correct. Je l'ai dit et redit à Élise, ça ne va pas changer, ce n'est pas ça qui s'est déjà mis à changer. Sauf que mes clous, ce n'est plus pareil quand je les cogne. Je ne me fais plus une montagne avec un sauna, c'est un gagne-pain, un passe-temps, il faut ce qu'il faut, en prendre et en laisser, des cuisines si on m'en offre, je peux encore en faire, des cabanes dans les arbres pour les fils de riches aussi. Je n'ai plus de haine en moi pour cette race de pauvres qui peut à peine passer par le chas d'une aiguille, mais attention! je ne généralise pas, tous les riches ne sont pas victimes de l'envers de leur médaille, comme on dit d'un artiste que tout ça est bien beau, mais, il y a un mais, et nous parlons alors de la rançon de la gloire, on imagine très bien ce que c'est, les stars, Lennon à la fin de sa vie, peut-être pas encore sorti du rêve, des tentacules de la renommée et cetera.

Il ne faut pas exagérer, il y a des riches qui sont très sympathiques. Et si j'ai encore affaire à des fendants, des gars qui parfois n'ont presque pas trente ans et qui pètent plus haut que le trou, te regardent de haut, ont un commerce de chars pas même usagés, occupent un poste de ci ou de ça au centre-ville avec un attaché-case et une femme maquillée à mort sortie tout droit d'un soap américain, je reste poli. Comme tous les autres ils me paient, puis je les laisse attendre le messie, il va bientôt arriver dans le West Island, dans leurs châteaux modernes comme en Californie, cabanes immenses avec des walk-in-closets gros quasiment comme la chambre d'Alice qui est déjà outrancièrement immense si on la compare à une boîte de carton d'itinérant.

Je viens de m'emporter non sans pointe de racisme, je le regrette déjà. J'ajouterai à mon corps défendant que Woody Allen est mon meilleur cinéaste et que les juifs d'Outremont je les aimais bien quand j'allais chez mon psy; ce n'est pas moi qui les comparais à des clowns mais Véronique quand elle était très jeune. Ceux qui ont des boudins et s'habillent en noir avec des chapeaux de fourrure incroyables et des barbes vénérables, je les aime beaucoup plus que les autres qui sont de mentalité américaine, mais c'est moins la race religieuse que la gangrène de l'argent qui me dérange, j'en ai contre le peu de cœur que ça laisse, mais qui sait vraiment? il y a toujours des exceptions, et on voit alors que notre propre cœur est amputé, qu'on a une poutre formidable dans chaque œil, que le Christ lui-même était de la race de Salomon, qu'il est nègre et même chinois si on y regarde de près, par conséquent je regrette ma sortie de tantôt contre ces gens-là.

Je devrai sans doute pour me réconcilier avec moi-même trouver un fils de juif du West Island et lui offrir une cassette de Nintendo. Ce serait une solution parce que Gandhi en fin de semaine a dit à la télé, via le cinéma bien sûr, a dit à un musulman qui avait tué un enfant hindou parce qu'un hindou avait tué le sien, a dit d'adopter un enfant dont les parents sont morts, mais de s'assurer qu'il est hindou et de l'élever dans sa foi, ou c'était plutôt le contraire, un hindou qui avait tué le fils d'un musulman et qui repentant venait au chevet du grand homme dont c'était un jeûne politique afin de réconcilier le pays en guerre civile.

Un homme comme lui peut être comparé au Christ et c'est admirable parce que Gandhi était un homme encore plus sobre. Notre prophète parfois est un peu désagréable, hautain comme Pierre Elliott Trudeau. Je donnerai l'exemple où il est assis par terre et dessine dans le sable. Quand il relève la tête on voit sur sa face un petit air moqueur et ses propos vont de pair, je le rappelle, dans la scène où il y a la femme adultère à qui personne n'osera finalement lancer la première pierre.

J'ai vu ça au cinéma, mais c'est pareil dans le texte. Très petit j'ai eu la même impression en lisant une bande dessinée dont il était le héros, sorte d'Évangile en images que j'ai dévoré. Il m'est en tout cas témoin, sans chercher ici à reprendre une discussion d'ordre théologique, que je demande pardon à mon juif de tantôt et que si je le compare à cette femme de souche tout à fait canadienne-française pour ne pas dire québécoise, du West Island elle aussi, une idiote de la pire espèce, mon juif est un gars très correct et je lui présente mes excuses encore une fois ainsi qu'à cette chipie de bourgeoise qui n'y est pour rien.

Sur ce, il est tard et j'ai sommeil.

7

Hier, Jean de la Lune m'a fait une confidence bien étonnante et qui m'inquiète pour des raisons qui ont sans doute peu à voir avec les siennes. Il vit dans la peur, mais moi je crains qu'il ne soit tout simplement victime de son imagination. Je m'explique.

Dernièrement, la Lune était chez lui à écouter la radio au poste où on fait tourner des oldies. Il faisait du ménage. Avec les airs qui se succèdent reviennent des souvenirs. Puis c'est «Help» des Beatles, notre meilleure chanson. Alors c'est normal, il se met à chanter, le balai devient une guitare, il se met en position, face au public, genoux légèrement arqués; le temps s'efface, le ruban se remet en place instantanément, il se retrouve au milieu des années soixante, ses cheveux retombent sur son front et une étrange impression s'empare de lui, il a ressenti une sorte de mouvement intérieur, un tassement d'une part de son être, la Lune m'a dit «un déplacement de son âme». Quelque chose d'immatériel vint se loger entre ses tempes; autour de sa bouche qui chantait se produisit un durcissement, un combat se livrait entre sa bouche qui chantait et une bouche étrangère venue s'immiscer au milieu de son visage. À la fin, me confia-t-il, ce n'était pas tout à fait lui qui chantait, une voix s'était confondue, puis superposée à la sienne.

Qu'on juge de ma perplexité. Je ne suis pas du genre à croire aux histoires à dormir debout. Cependant j'en ai vu d'autres, je veux dire qui n'étaient que les fruits d'une imagination nourrie de sucreries spirituelles. Aussi je ne m'en fais pas trop. De la Lune a toujours été un peu bizarre, et il a avalé dans sa vie toutes sortes de cochonneries, même ces derniers temps, qui n'arrangent rien quand au départ l'esprit est déjà quelque peu fêlé. J'ajoute que son côté mystificateur, farces et attrapes, doit aussi être pris en considération et que si je ne connaissais pas le piètre état financier des cordons de sa bourse, je lui conseillerais vivement de prendre le chemin de la psychiatrie, puisque faire des blagues de ce genre, à son âge, relève de l'infantilisme le plus avancé ou de la démence précoce si ce n'est pas soigné à temps.

D'ailleurs mon psy le connaît déjà parce qu'il me connaît bien. Il pourrait sans doute le secouer un peu en employant la méthode qui consiste à vous recevoir poliment, et mine de rien à vous laisser faire un fou de vous-même jusqu'à ce que sagesse s'ensuive via l'épreuve du trou de l'aiguille ou du tunnel au bout duquel on finit un jour ou l'autre par voir une petite lueur d'espoir, et alors il n'en tient plus qu'à vous, cela se remet à dépendre de vous parce que, alors seulement, vous voyez la part de responsabilité qui vous échoit dans votre histoire, laquelle s'insère dans l'histoire plus large dont vous n'êtes qu'une infime partie et tout le tralala.

Cette méthode a porté ses fruits avec moi puisque je ne souffre plus de ces terribles maux de cœur qui m'empêchaient même de dormir et de répondre au téléphone, plongé que j'étais dans la stupide contemplation des poissons de mon père dont je lui ai beaucoup parlé ainsi que de mon enfance bien sûr.

Le trou de l'aiguille, c'est remonter jusqu'à sa nuit des temps, puis entreprendre le voyage qui mène à l'âge adulte, mais c'est ici seulement qu'une part de l'expression prend tout son sens, parce que pour parvenir à ce stade, il faut y mettre du sien, ça n'échoit pas, je souriais en le disant, c'est une décision, on se forge vraiment une vie, on se construit, il n'y a plus d'astrologie qui tienne, et, par exemple, si on aime, ce n'est plus d'être tombé amoureux, par une manière d'accident, c'est que le hasard était appelé ainsi, à propos duquel il aurait convenu davantage d'employer le terme de nécessité, nécessité émanant de nous et non de quelque force extérieure comme le prétendent si bien les philosophes.

Adulte est un mot important et c'est un stade de l'évolution difficile à atteindre aujourd'hui parce que pas mal de gens ne savent plus à quel saint se vouer. Ce qui me fera analyser le rôle capital de la religion dans nos sociétés ou ce qui remplit ses fonctions quand apparemment l'homme ne croit plus ni à Dieu ni à diable. C'est clair pour moi. Je ne suis cependant pas nostalgique, et pas plus demain qu'hier il ne me viendrait à l'esprit de situer dans le temps un âge d'or futile, passé ou à venir; je trouve ça fictif et je m'extirpe volontiers du fictif, l'utopie n'est pas mon fort ni les paradis perdus.

Je dis plus simplement qu'il s'agit de se prendre en main au présent et que nous ne sommes pas assez philosophes, car Socrate a dit, ou un de ses acolytes: «connais-toi toi-même». Mon psy ne l'a pas dit, mais j'ai fini par comprendre que sa méthode était incitatrice. C'était d'ailleurs un homme charmant et je suppose qu'avec le temps, il avait fini par se connaître et que même pour lui c'est un travail de tous les jours, car il en va dans la métaphysique ainsi que dans le monde des phénomènes observables, où, pour donner un exemple, si tu te regardes un jour dans la glace, le lendemain tu n'as pas forcément la même tête, parce que tu changes avec le temps. L'introspection est un travail de longue haleine et la personnalité humaine est pleine de replis d'où surgissent la plupart de nos métamorphoses.

Je répéterai des choses que je lui ai déjà dites. Mais rapidement parce que, comme je l'ai dit l'autre jour, je connais déjà tout ça, d'où les formulations quasi algébriques que ça risque de prendre. Voici:

Mais d'abord un avertissement. Si un jour je meurs et qu'on met la main sur mes notes, vous savez bien toutes deux, belle Véronique et douce Élise, que j'entends à rire, et des deux oreilles à la fois; que là où ça déraille, plus souvent qu'autrement, chère Élise tu le sais, il s'agit d'un vestige de mon adaptation de la méthode paranoïa-critique de Dali dont je n'aime pas vraiment la peinture. De sa méthode toutefois je me suis largement inspiré. Je m'autorise une certaine liberté d'expression, du moins ici, parce qu'ailleurs je demeure strict, respectueux de la bienséance, poli sans onction, bref, je n'ennuie personne avec mes tergiversations, j'observe la règle du métier, je m'en tiens à des généralités, aux blagues d'usage et au temps qu'il fait.

Né en 52. Père âgé, mère jeune et jolie, très belle. De cette opposition découle mon esprit à la fois zest et zist, c'est-à-dire sombre-sérieux et craintif-enjoué.

Père menuisier dont un des frères est notaire; d'où origines ouvrières mais ouverture sur la culture bourgeoise puisque le notaire allait au concert et fréquentait les théâtres. Plus le fait que papa écoutait Radio-Canada et lisait le journal de gauche à droite et de bas en haut, pas seulement les gros titres.

Mère morte très tôt. Deux fausses couches avant moi et une autre après, tendance marquée pour la pneumonie, maintes fois alitée, elle s'éteint alors que je suis au primaire, tristesse profonde et blessure que vient panser Alice, deuxième mère, mais la vraie, inoubliable bien sûr.

Un mot sur Alice. Sœur aînée de papa, veuve à son arrivée, progéniture abondante. Elle devient vite une mère et je l'aime très fort, d'ailleurs sans moi elle serait, à l'heure qu'il est, en perte de vitesse, ralentie au minimum aux abords rapprochés de la mort trop vite proposée par ses propres enfants qui voulaient la contraindre à l'immobilisme où on les force à devenir des enfants gâtés, des vieux fétus rabougris parqués dans les antichambres de la mort. J'ai mis un bâton dans les roues du corbillard, chassé ses croque-morts d'enfants ingrats; elle vivra jusqu'à sa vraie mort et ce n'est pas demain la veille!

Père très porté sur l'éducation, sans doute pour m'éviter une vie comme la sienne, mais je la trouve très belle, sauf que sur le tard je ne voudrais pas manquer de femme, or c'est ce qui m'arrive.

Il veut mon bien et que je réussisse. J'irai à Brébeuf. Excellents souvenirs, mais d'abord choc culturel éprouvant. Il s'est privé pour moi, a travaillé d'arrache-pied. Mais avec lui, spartiate comme pas un, un enfant de douze ans ne se tournait pas les pouces. J'ai connu très tôt les copeaux et la sciure de bois, le bruit des appareils mécaniques et les secrets du métier. Je ne condamne pas son attitude parentale et juge que ces travaux forcés, somme toute, étaient sympathiques. L'atmosphère agréable de l'atelier, les hommes qui fumaient la pipe sous l'œil sévère de mon père qui craignait l'incendie, alors, même en hiver ça ne pouvait fumer qu'à l'extérieur, et précautionneusement, tout est gravé dans ma mémoire: le ton des conversations dans les moments de répit, les gestes répétés mille fois, les ordres de papa, comment il était respecté par ses hommes et la clientèle, sa grandeur à mes yeux, sa presque majesté.

Chemin de la Côte-Sainte-Catherine, je suis à peu de choses près un élève modèle. Mais intérieurement, il me semble, dès mes premières années de collège, qu'il y a quelque chose qui cloche, que tout ça ne peut pas être vraiment vrai; je n'ai vécu qu'avec des vieux, très proche d'eux et voici que le contact avec des garçons de la belle société me montre des portes qui me sont fermées. J'envie leur aisance, leur manière de parler; il me semble que lorsqu'ils regardent devant, le monde pour eux est plus vaste et qu'ils y ont déjà leur place, une place de choix. C'est alors que retentissent en 63 les accords de «I Want to Hold your Hand». C'est la révolution. Après une lutte acharnée où je déploie toutes les ruses dont un enfant est capable, qu'ai-je pu promettre à mon père? sans doute de meilleures notes, on me permet d'assister au concert des Beatles au Forum, avec Richard Plomteux et son grand frère, des amis d'enfance.

Acquisition peu de temps après de ma première guitare, mais non sans une immense activité de courtisan auprès de mon père qui ne voit pas d'un très bon œil ces histoires de fous et de cheveux longs. Il finit par accéder à ma requête, mais les conditions sont nombreuses et je dois montrer patte blanche et en toutes occasions me comporter comme un petit monsieur sérieux qui voit à ses affaires: chambre bien rangée, priorité: études, et, condition importante, apprentissage en bonne et due forme de la musique, avec professeur, et ce, sur le véritable instrument classique qu'il paya lui-même en me disant que si ce n'était pas un caprice, que si vraiment j'avais du talent, plus tard il m'autoriserait à dépenser une partie de mes économies pour acheter une guitare acoustique. C'était mieux que rien et ça ne m'empêchait pas de plaquer parallèlement mes accords, sauf que j'aurais voulu une Gibson, pas une guitare avec des cordes en nylon.

À Brébeuf, dès les premiers jours, rencontre de Jean de la Lune qui rapidement devient un ami. Amitié solide, complicité, beaucoup de plaisir; il m'initie à tout un monde, celui de la bourgeoisie; je me tiens avec lui, que dire de plus? Il y aurait des anecdotes, ce n'est pas le temps de les raconter. Disons qu'Élise, plusieurs années après l'aura éclipsé, mais c'est aussi l'ouvrage du temps, un processus normal de l'évolution qui fait que les gars finissent par aller chacun de leur côté. Il y a eu par la suite des retrouvailles sporadiques selon les époques, il réapparaissait chaque fois qu'il mettait un terme à une relation amoureuse ou qu'une fille le quittait. Maintenant, l'heure est plus grave, il travaille au noir avec moi.

Des années passent, je me retrouve au cégep Saint-Laurent, en histoire de l'art. Il y a là une curieuse petite enseignante belge. On l'appelle madame Van Zouzou, son vrai nom, Van Zouelen, mais j'ignore l'orthographe correcte. C'est la deuxième révolution. Elle est magnifique, vieillie certes, on ignore exactement son âge, belle non de traits mais complètement, inspirante, pleine de fougue, de passion pour sa matière, une enseignante dont c'est la vie, si bien qu'on retourne suivre ses cours, et les plus mordus, dont moi profondément qui hante les corridors pour l'écouter encore et encore alors qu'elle est en classe et donne son cours, pour l'écouter parler de tous ces peintres que même parfois elle a connus. On imagine qu'elle a été le modèle de plus d'un, l'amante de Soutine et de Juan Gris; elle nous propulse dans les sphères éthérées des beaux-arts et nous sommes subjugués, pendus à ses lèvres qui avaient été pulpeuses et sensuelles et qui s'ouvrent pour nous raconter une aventure dont il faudra bien que je devienne un jour ou l'autre l'un des protagonistes les plus illustres, c'est ce que je pense alors.

Mais je ne suis pas seul au collège, de la Lune est à mes côtés. C'est aussi plein de belles filles et je pourrais raconter des anecdotes savoureuses, mais à quoi bon mentir, je n'ai jamais rien eu d'un Casanova, mon cœur se contentait de battre à tout rompre; on me souriait parfois. Je trouvai cependant assez rapidement qu'il y avait chez les gars de groupe un petit quelque chose qui nous mettait à part; dire que je n'en ai pas profité serait mentir, mais entre les deux mensonges, le premier est le plus gros et je dis vrai quand je fais de moi le portrait d'un jeune homme plutôt Charlie Watts que Mick Jagger.

Qui dit cégep Saint-Laurent, dit époque la plus forte de Gens de la Lune, notre groupe à Jean et moi. Mais il n'en était pas le chef, notre affaire était bicéphale; en fait, on était deux Jean de la Lune, nom trouvé par son petit frère qui avait appelé comme ça notre idole d'alors et de toujours, et j'ai dit ce que je pense du culte voué aux héros, de sa fonction et de l'erreur que ça représente, mais on était jeunes et par conséquent excusables.

Aujourd'hui, si Jean de la Lune parle de Jean de la Lune à quelqu'un qui nous a connus à l'époque, tout le monde sait que c'est de moi qu'il est question. De même, si je parle de lui, je parle de Jean de la Lune et c'est clair pour tout le monde. Ça se compliquait quand quelqu'un parlait à quelqu'un d'autre de Jean de la Lune, alors il fallait spécifier.

Si entre nous il était question de Jean de la Lune, Jean et moi on savait qu'on parlait de John Lennon et comme je l'ai dit, on devait ce jeu de mots à son petit frère qui n'avait pas dit ça pour faire une blague, mais simplement pour des raisons intellectuelles qui font que les enfants produisent ce que les linguistes appellent des mots d'enfants.

Gens de la Lune était formé de cinq musiciens, dont deux Jean, tous deux à la guitare rythmique, vivant une amicale rivalité dont le but était de montrer que l'un, c'est-à-dire moi, et lui disait lui, mais c'était moi qui avais raison, était plus Jean de la Lune que l'autre.

Rôle de mon père à cette époque. Il ne m'a pas lâché. Œil bienveillant, autorité discrète mais ferme. En réalité, peu de prise sur mes rêveries, mais influence profonde sur ma mentalité, je m'exprime mal. Je reprends. À cette époque, il est de plus en plus vieux, mais il n'est pas sénile. Il est à sa place. Ma liberté est grande, mais ce qu'il peut penser ne me laisse pas indifférent. Seulement, il y a le fossé, et je sais que le monde nouveau n'a rien à voir avec l'ancien. Mon père sait que je le sais. C'est très bien. Sauf qu'aujourd'hui, je sais que mon père savait que le monde nouveau avait beaucoup à voir avec l'ancien, mais moi je fumais du pot en cachette et j'avais des blondes, rien de comparable aux mensonges que j'aimerais bien raconter; des blondes, une, deux, qui venaient dans mon sous-sol admirer les poissons; mes mains osaient parfois s'aventurer là où nichait la douce démarcation provenant de leurs bains de soleil, cette démarcation qui s'estompe avec l'hiver et qui est toute ronde, cela était le bonheur.

Finalement, ma guitare acoustique je l'ai eue, payée avec le fruit de mes étés. Mais je ne respecte pas la stricte chronologie, parce qu'à l'époque du groupe je jouais aussi de la guitare électrique, de l'eau ayant passé sous les ponts et papa ayant compris que ça revenait moins cher que la location à chaque spectacle.

Rôle de mon père: je n'ai pas eu cette révolte et cette vie tout à l'envers, à la dérive qu'a connue Jean, peut-être justement à cause de son père. Le mien, lui, en tout cas, était là, a gardé le contact même quand je cherchais à le couper, mais discrètement, allant jusqu'à m'accorder la possibilité de lui jouer dans le dos, par une complicité subtile, voire même idéale, puisque je crois qu'il n'était pas dupe de mes cachotteries, quoique ne sachant pas tout à fait ce que je pouvais cacher; c'était de bonne guerre.

Autre chose, il y a vraiment eu transmission d'une attitude, qu'à l'occasion j'avoue avoir perdue de vue, mais qui ajoutée à la douceur de la première enfance, auréolée du sourire maternel, puis de tout ce que m'a donné Alice, me permet, par conséquent, d'affirmer que ma crise d'adolescence n'a pas été trop pire. Enfin, ce fouillis pour dire qu'il y a un héritage sur le plan moral et que je dis merci.

Où il n'a rien vu, le phénomène cannabis, il ne pouvait pas le concevoir. J'avoue donc avoir fumé comme une cheminée, mais tant que mes études n'en souffraient pas, cela ne lui venait pas à l'esprit d'imaginer que son fils fût vraiment l'un des leurs, ces millions de rêveurs qui voyaient la vie en rose; avec le recul, les plus idiots de tous les jeunes depuis que le monde est monde, mais il fallait que jeunesse se passât et nous fîmes ce qui devait être fait, c'est-à-dire pas grand-chose, et moi dans le tas pas plus fin qu'un autre, mais c'est comme ça.

Fumeries surtout à l'été soixante-neuf, à Percé. Je parlerai de Paul Rose. Il y était.

Saut dans le temps, vers l'avant, car tantôt je reculais: Université de Montréal en histoire de l'art. Vœu plus ou moins secret, j'aimerais devenir peintre. Bons travaux, mais la théorie n'est pas mon fort. Bonne moyenne, mais je préfère la vie et l'œuvre des peintres et être muet d'admiration; j'en viendrai bientôt à l'évidence, je n'ai rien d'un intellectuel. À la maison je fais des tableaux. Gens de la Lune existe encore. On joue à droite et à gauche.

Puis survient l'ultime révolution, la plus belle, avec la douceur de ses traits, son sourire intelligent, sa voix si calme, la révolution essentielle et qui dure encore, ma révolution permanente, je parle de toi. De la Lune avait eu cette idée, mettre un soupçon de classique dans notre spectacle. À cette époque on formait un duo acoustique. Mon jeu à la guitare se défendait, devenu plus fin, soucieux de la ligne, clarté de l'expression, chaque son détaché; mais il nous fallait plus de couleur dans les arrangements, une certaine noblesse, une gravité, un élément de folklore plus prononcé également.

Ce fut comme une apparition, Élise sur scène, la lumière de ta chevelure, la gracilité de ta personne, chaque geste, même dans la force des mouvements animés, respirant cette majesté tranquille de la plus parfaite féminité. Coup de foudre, mon seul et unique et véritable coup de foudre, amour à sens unique au départ, mais j'ai tout fait, me suis fendu en quatre, ai corrigé mon tir, modifié mon apparence un peu trop négligée, soigné ma façon de parler. Tu n'étais pas née dans l'est, ton père n'exerçait pas le simple métier de Joseph.

Les parents d'Élise étaient rigoureux, dans le sens d'hiver rigoureux, pas très chauds à cette idée de voir leur fille courtisée par une espèce de vaurien inscrit en histoire de l'art, autant dire promis, c'était sûr à leurs yeux, au chômage et au bien-être social.

Fils du peuple, j'exagère un peu, j'étais passé par les jésuites. J'avais pris dans leur collège l'accent d'Outremont. Je savais vivre, et les snobs depuis belle lurette ne me paraissaient pas vraiment si snobs que ça.

Du temps passe. Mariage. Fin prématurée de mes études, il me manque trois cours pour un diplôme. Les parents d'Élise, vachement conservateurs sur le plan moral, religieux et politique, donc mariage. Élise enceinte au bout de quelque temps. Je raconte en raccourcis. Cantons de l'Est. Antiquités. Époque superbe. Retour à la ville pour l'école de Véronique. Prix des loyers exorbitants. Au bout d'un an, on prend le logement rue Laurier, au-dessus de chez papa, alors que lui occupe le premier avec Alice très rapidement bonne d'enfant.

Avant la naissance de Mathieu, papa consent à nous laisser occuper tout l'étage. On envahit donc à côté le logement de nos voisins expulsés, triste geste nécessaire: on étouffait. Travaux de fous, soirs et matins, pour fusionner les deux logements. Grande cuisine modernisée à l'ancienne. Salle de bains superbe, deux fois plus grande. Élise se dit comblée, tout le monde a sa place, on respire, on oublie les moments difficiles. De pires sont à venir. Les voici:

J'ai nommé une tigresse, la belle Mona. Elle arrive dans le décor un peu plus tard. Elle répond à une programmation où le destin ne joue pas le rôle le plus important; c'est plutôt moi qui tire ces ficelles, celles au bout desquelles je suis le pantin de moi-même. On va s'amuser follement, mais ce sera loin d'être drôle.

Mona répondait à une frustration due à l'équation bonne bière froide égale vie de garçon et filles pulpeuses à la pelle qui ont des seins télévisuels comme ça, pour le seul plaisir de la chose. Je parle du démon de midi qui arrive dès l'aube et non plus, comme auparavant, quand le gars a déjà vécu les deux tiers de sa vie. J'expliquerai tout dans le détail.

Finalement, j'ai perdu mon enfant, puis, après, ma femme. Véronique et moi sommes descendus chez Alice qui vivait seule depuis la mort de papa. Ses filles voulaient la placer, j'ai refusé.

Puis, c'est maintenant. Voilà mon histoire. Rien de bien extraordinaire, mais c'est ma vie.

Je suis descendu vingt mille lieues sous les mers, me revoici.

8

Il reste encore bien des abcès à crever, quoique cette expression paraisse crue et en dégoûterait plus d'un, mettons plutôt des chats à fouetter, mais c'est cruel et le combat est inégal, on risque peu, à moins de les transformer en tigres du Bengale ou en lions de la savane; alors il faut bomber le torse héroïquement et j'en ai plutôt contre, ayant déjà dit, n'est-ce pas, tout le mal que je pense de cette notion et de la nation qui l'incarne: c'est du cinéma. On devrait, je crois, ramener tout ça à des proportions plus réalistes et examiner, par exemple, le concept du *working class hero*, lequel provient, on s'en souviendra, d'une chanson de Lennon.

Comme chat, il y aurait en tout cas une chatte, mais j'en parlerai au chapitre de l'adultère, ce qui me fait rire. Certaines femmes sont des maîtresses-nées. On n'en finit plus de compter dans la prude Amérique les candidats bloqués pour cause de sauts en dehors de l'alcôve conjugale. C'est fou comme c'est idiot. Encore un cas ce matin à la radio. Une course à je ne sais quelle primaire aux U.S.A. où il faut montrer caleçon immaculé, avoir mené une vie de saint et si possible dans le Pacifique avoir nagé des dizaines de nœuds entre les torpilles et s'être illustré par mille faits d'armes au Viêt-nam.

Je veux me restreindre à l'aspect virginal du candidat. Un politicien là-bas, et ici d'ailleurs, doit être une sorte d'eunuque, un type sans une once de libido hormis dans l'enclos conjugal où il marche dans l'ornière de la fidélité.

Il ne peut pas être normal, doit se conformer à un idéal de pureté d'intentions qu'il se doit d'incarner.

Il y a autour de nous plein de gars ordinaires et les choses n'épousent pas toujours ce credo américain. Même leurs films sont puritains! qui pourtant ne reposent que sur l'érotisme, le flirt, les fesses bien moulées et les seins bondissants quoique freinés aux abords du vêtement par les boutons bien roides au centre de l'aréole, mot qui fait songer à l'auréole inclinée de la sainte nitouche Amérique toujours sur le point de tomber, mais *with God on their side* ils finissent toujours par éviter la catastrophe.

Donc je ne serai pas candidat et un ennemi scélérat me glisserait comme bâtons dans les roues le souvenir de la délicieuse Mona entre les jambes, resurgie du passé, cuisses! oh cuisses! mea culpa si peu, l'occasion ayant fait le larron et je ne regretterai rien, sinon de n'avoir pas connu à l'époque ni avant, Épictète, Cicéron et Socrate qui sont sur ma liste de lectures, parce que si tel avait été le cas, je me serais davantage connu et ça m'aurait évité bien des ennuis, bien des tourments.

Dans mon essai sans moi je parlerai de l'amour. Que faire? Que faire? Là est la question quand l'occasion se présente d'une passion fulgurante où la chair s'élève comme un volcan naissant des entrailles de la terre avec cette lave puissante qui nous anime et qui fomente une révolution sans pareille parce que l'homme et la femme sont aussi des animaux, et peut-être que vivre, c'est aussi consentir à cette force terrible, en nous, plus forte que nous, et qui fout tout en l'air, qui détruit tout de la vie paisible qu'on cherche à construire avec les gens qu'on aime, ou qu'on croit aimer? Peut-être la sagesse est-elle une faiblesse. Les vieux seraient sages à force d'impuissance? J'en reparlerai. Je ne sais pas quoi penser. Venons-en aux faits.

Ce qui suit, je n'en ai jamais parlé à personne, sauf à qui de droit. Ça s'est produit avant Mona, même si je la connaissais déjà par affaires à cette époque-là. Je travaillais à droite et à gauche, surtout pour mon père, et ce sont les antiquités qui m'ont fait rencontrer Mona, mais les saunas c'est plus tard.

Le démon de l'aube commençait à se profiler, avais-je pressenti des orages à l'horizon? Je m'étais promis en tout cas d'être sage et j'aurais bien des choses à dire à ce sujet, parce que la sagesse demeure mon but et je crois à cette démarche qui nous rendra plus heureux dans un monde où nous pourrions apporter notre contribution. Est-ce un vœu pieux? Je pose cette question parce que l'illusion est notre ennemi public numéro un. Or je crois à l'amour, mais aussi au sexe pur, comme on dit d'un chocolat étranger qu'il est pur, donc noir, c'est-à-dire la plupart du temps belge, suisse, français ou allemand. Je crois qu'on peut vivre en fonction du seul désir sexuel et de sa réalisation, étape des plus importantes, et c'est très plaisant. Du reste la nature en témoigne. Je pense aux orignaux et aux ânes. Un homme peut choisir instinctivement, ce n'est jamais à force de raisonnements, de devenir un âne ou un orignal dans le sens symbolique du terme, et dans la mesure où chez ces derniers les mâles se battent entre eux pour devenir les chefs machistes du groupe.

Mais l'homme, lui, a une éducation et il est poli. Je ne suis pas certain que cela soit à son avantage. Moi, par exemple, je n'ai rien de l'orignal et le regrette parfois, car la beauté des femmes très tôt m'a sidéré. Je faisais partie des admirateurs, de ce groupe qui se tient un peu loin, respectueusement, comme devant les œuvres d'art dans les églises d'Italie où j'irai peut-être un de ces jours.

On pourrait croire que cette marque de respect témoigne d'une attitude profondément amoureuse, il n'en est rien, bien au contraire. Il faudrait prévenir les femmes. Surtout les douces et terriblement sensibles comme Élise, les avertir des risques énormes qu'il y a à se laisser séduire par les hommes de mon acabit. Il se pourrait que la peur joue là un rôle considérable. En fait, les gars qui ne sont pas des brutes, à la fin luttent un peu pour acquérir cette force sauvage et guerrière qui les fera immanquablement maltraiter les malheureuses victimes de leur méprise, dans le but de redorer leur blason, car ces hommes ne s'estiment pas et si on les voit peu se comporter en brutes, c'est qu'ils craignent les femmes et d'essuyer un refus. L'amour n'a rien à voir avec la politesse, et le coup de massue du troglodyte sur le crâne de la belle est plus conforme à l'amour que le billet doux que n'écrivit pas le timoré.

En revanche, les gros monstres entreprenants et violents, les gars qui les traitent comme des chipies, qui les traînent dans les ronces, sans égard à leur délicatesse, eux, sont un jour en proie aux remords et connaissent graduellement la révélation de leur bêtise qui finit par les mettre sur le chemin de la véritable tendresse.

Pour la démonstration de ma théorie, j'ai simplifié ce qui dans mon essai sans moi aura une tournure plus officielle. Pour l'heure, laissons à leur brutalité les brutes dont je ne fus malheureusement jamais. Occupons-nous uniquement des garçons policés qui n'ont pas encore fait de mal à une mouche. Comme ils sont assez sensibles, un jour, la beauté les touche et les émeut. Il y a une jolie fille raffinée qui est musicienne et provient d'un milieu distingué. Que se passe-t-il alors?

Dans mon cas, il se passe que l'on devient amoureux. Amoureux pour vrai. Mais ce pour vrai ne veut pas dire pour autant que l'on cesse d'être en croissance, et alors, dans cette croissance le tissu de contradictions de toute vie humaine, c'est le contraire d'une peau de chagrin, devient une toile d'araignée et tu es pris dedans, tu ne comprends plus rien, et c'est là le résultat de tes gestes aveugles. Ça devient énorme et plus tu avances, moins tu sais où tu vas. Processus qui s'étale sur de nombreuses années. Au début, embarquement pour Cythère. Mais on finit par s'enivrer sur le pont du navire, on perd le nord, le capitaine donne sa langue au chat, son sextant tombe à la mer, il ne pense qu'à ça, advienne que pourra, on dévie de la trajectoire, Épictète n'est pas encore apparu dans le décor.

J'en étais là quand Mathieu est né. Qu'est-ce que l'amour? Élise voulait reprendre ses activités de musicienne. Ses amis violoncellistes avaient envahi la scène; elle cherchait sa place et ne la trouvait pas. Ça cognait dur et plaquait dans la bande. On vivait en haut par économie, c'était bien, mais Élise me trouvait trop dépendant de mon père et m'accusait non sans raison d'être dans les jupes d'Alice. Le climat n'était pas toujours tendu, mais les reproches et les déceptions revenaient souvent sur le tapis: nous avions tous deux l'impression d'être des ratés.

Je travaillais pour papa, dans les portes et fenêtres. C'était difficile à cause de l'aluminium, quoique l'époque favorisât aussi le style campagnard, alors certains propriétaires puristes et un brin rétro refusaient de faire le saut, préférant le bois naturel aux gadgets du confort moderne que propose à tout un chacun la loi du moindre effort.

Un ancien camarade du primaire qui vit encore sur de LaRoche avait travaillé chez Sauna Royal. Il lui arrivait de doubler ses anciens patrons et de proposer à leurs clients des offres plus alléchantes, bref de donner davantage pour moins cher, saunas artisanaux et tout ce qu'il y a de plus beau. À cette époque, j'ai parfois travaillé pour lui, dans le but secret de trouver ma voie afin de voler de mes propres ailes. C'est lui qui m'a initié à mon métier actuel, mais aujourd'hui il est dans une autre ligne.

Donc Mathieu venait à peine de naître, c'était l'été. Jean-Pierre, c'était son nom, et il était mon boss, me donne une adresse à Saint-Lambert et j'arrive avec tous les matériaux pour faire la job tout seul, sauf pour les bancs qu'on faisait à deux parce que c'est difficile à installer, sans oublier la porte. Pendant ce temps, il cherchait d'autres contrats.

Saint-Lambert, chez madame Laframboise. Un joli nom pour une dame, une belle maison comme c'est toujours le cas, piscine dans la cour, jardin avec au centre un fruit assez spécial: sur le dos, sur le ventre, à se faire bronzer du matin au soir, il fallait la voir et je ne me gênais pas pour regarder. Je le dis sans ambages, c'était un de nos fantasmes à J.-P. et moi, parce que les maris souvent travaillent et elles pas toujours; bien sûr dans le tas il y a des picouilles, mais parfois c'est tout le contraire, et avec celle-ci je n'avais pas à me plaindre.

Ses deux garçons me regardaient travailler, du moins au début. Puis, l'aîné un peu moins, qui avait environ quinze ans et autre chose à faire, mais l'autre rôdait plus souvent et sa mère devait l'inciter à aller jouer dehors. Cependant, le jour suivant ils étaient partis en vacances avec leur père. C'était des enfants du divorce.

Cette femme devait avoir une dizaine d'années de plus que moi. J'ai horreur de l'expression parce que je sais les malheurs produits par le concept de femme-objet, mais comme le veut l'expression consacrée, elle était drôlement bien conservée.

Eux partis, elle ne décollait plus. Tout d'abord, j'étais un peu mal à l'aise. Elle m'offrait du café, interrompait mon ouvrage à tout bout de champ afin de bavarder. Mais la consigne était claire, Jean-Pierre avait insisté: il fallait faire vite, vite et bien. Or elle était belle. Je la vois encore, je veux dire au moment où je me la rappelle, très comme dans les films, mais simple, pas du tout star, pas aussi lointaine, mais sur le plancher des vaches comme les femmes normales, avec des fesses très dures cependant, ça se voyait.

Le sauna ouvrait sur un couloir vitré derrière lequel se trouvait la piscine. Juin brillait de tous ses feux, mais l'air demeurait bleu et bientôt juillet écraserait les citadins. Dans sa banlieue cette fée serait au bain.

Elle avait idée d'imiter les Danois. Au printemps, la première piscine en opération serait la sienne. Elle prendrait un sauna, puis vivement sauterait à l'eau. Idem à l'automne mais dans l'autre sens, elle nagerait telle une Ophélie parmi les feuilles flottant sur l'onde. C'est de ça qu'elle venait me parler à moi l'ouvrier, l'homme-orignal, une véritable brute devait-elle penser, un motard très certainement.

Alors, progressivement, elle devenait chatte, et moi chastement je posais sur l'isolant les grandes feuilles d'aluminium qui multipliaient la chaleur de l'ampoule éclairant la pièce et, par là, justifiaient les gouttes de sueur qui me coulaient sur le front et tout partout. Moi seul savais ce qui causait le déluge.

J'avais des scrupules mais intérieurement je me cravachais pour faire le contraire de ce que je voulais faire. Un véritable orignal lui aurait sauté dessus ou en tout cas aurait joué le jeu Casanova. Je n'en parlai pas à mon patron, le salaud aurait pris l'affaire en main et m'aurait offert un petit congé. Cette nuit-là, je fus incapable de dormir.

Le lendemain, je me présentai au travail à moitié mort. La chatte était encore des plus câlines, mais en après-midi le boss vint pour les bancs et la porte. Le reste concernait l'électricien.

Adieu, madame Laframboise, vous étiez bien belle, et j'aurais bien rendu hommage à votre académie si je n'avais pas été si con.

Mais, voici la suite. Deux semaines plus tard, Jean-Pierre me demande de retourner à Saint-Lambert, toujours chez elle. La porte du sauna ne ferme pas correctement et l'électricien a négligé de revisser la garde du poêle. Si c'est pas dommage!

Je sonne. La naïade répond. Conversation anodine, le temps qu'il fait et le café justement qu'elle était à préparer, j'en prendrai bien un peu? C'était l'heure du dîner, du moins à ma montre. Je refuse l'offre parce que j'ai dans le camion mon lunch que je veux manger dans le parc tout près à l'ombre d'un tilleul. Mais non, il ne faut pas, il y a de l'ombre dans son jardin et un érable centenaire, je dois au moins accepter de manger avec elle et son café est un vrai café, elle me fait humer la mouture, comment refuser?

Je la voyais venir. Cette fois, j'étais certain de mon coup. Je lui avais bien fait un peu de charme la première fois, mais je m'étais ravisé, parce qu'on ne sait jamais, elle aurait pu sonner l'alarme, prétendre le contraire, qu'elle n'y était pour rien, que j'avais tout imaginé, que j'avais voulu la violer et tout le reste. Et je m'étais dit aussi qu'effectivement elle aurait peut-être eu raison, j'avais sans doute rêvé, fantasmé, et elle juste belle, et en bikini c'est son droit, pas une raison pour sauter dans le ring de l'érotisme.

Or cette fois-ci, nos intentions se rejoignaient. J'examinai d'abord la porte, fis un peu nerveusement les ajustements nécessaires, puis j'installai la garde. Ensuite nous passâmes à table. Après quoi elle me demanda si je prenais souvent des saunas. Je n'en avais jamais pris. Je le lui avouai. Elle me confia qu'elle n'avait pas encore utilisé le sien, c'était un mensonge gros comme le bras.

— Vous seriez bien aimable de me faire l'honneur de baptiser mon sauna avec moi.

L'idée me paraissait farfelue. Je m'opposai pour la forme, mais la proposition, il est vrai, m'intimidait beaucoup. J'avais pas mal réfléchi durant les deux semaines précédentes et je m'étais traité de tous les noms de la terre à cause de ma couillardise, si bien que lorsqu'elle insista, je souris de mes plus belles dents et mordis dans le fruit sans plus attendre.

Je n'ai jamais confié ça à personne, sauf à mon docteur. Parfois j'y pense. Je ne regrette pas mon geste, parce qu'un orignal dormait au fond de moi et parce qu'il est bon d'ajuster de temps à autre sa conduite à ses opinions sur le sexe.

Élise me dirait: Tu me trompais déjà, même avant. Mais sans chercher à me justifier, il faudrait montrer que la faute est ailleurs, pas dans la conduite qui ne change rien à mon amour. J'aime Élise aujourd'hui et ça ne m'empêche pas de regarder la serveuse de la Brûlerie, de plaisanter un tout petit peu avec elle à chaque fois que j'y fais mon tour.

Même à l'époque de Mona j'aimais Élise, je l'aimais mal, je l'aimais moins, mais je l'aimais. Moi cependant je ne m'aimais pas tellement. Ça remontait à loin. Il y avait eu une série d'erreurs. Maintenant je me connais. J'aurais pu être un orignal, devenir un âne célèbre de l'île de Montréal, avoir une cour immense toute pleine de jolis minois et briser des coeurs en n'ayant d'yeux que pour leurs fesses et les seins que je préfère moyens-gros à petits-petits et rarement énormes à ne plus tenir dans la main, mais surtout moyens, et du reste je dis des âneries, il ne s'agit pas de viande, je reste sur ce point intraitable, féministe à cent pour cent, mais j'aurais peut-être aimé être d'abord orignal et puis me raviser en fin de parcours.

Quoi qu'il en soit, j'ai pris une autre route. Elle m'a conduit finalement à toi. Et tu le sais, avant Mathieu, je veux dire avant son départ, nos querelles étaient des querelles de retrouvailles. J'avais déjà pressenti Épictète, ma métamorphose s'amorçait et je sais que tu en vivais une allant dans le même sens.

Tu as tort, chère Élise, de penser qu'en réalité je suis fondamentalement orignal. J'aurais voulu tout un temps être de leur confrérie, mais je sais aujourd'hui que je veux redevenir ton homme, un homme qui soit un homme, ayant les pieds sur terre, et sur qui ta douleur puisse prendre appui.

9

La vie se déplace à une vitesse de fou. J'ai à peine le temps de penser à mon essai que déjà je suis entraîné sur une pente raide parce que le travail rémunéré continue, et tout le reste se produit à un train d'enfer. J'en oublie tel passage d'Épictète qui me bouleverse, celui où la mort d'un enfant, c'est à peu près comme la perte d'un bouton de chemise; je néglige cette recherche hors programme que je veux accomplir pour savoir ce qui au juste oppose les stoïciens aux épicuriens; parce que la vie fait ces curieux excès de vitesse que ne connurent pas les Grecs, je me couche le soir en n'ayant rien fait de ce qui me serait si utile pour la conduite de ma propre destinée. D'ailleurs, ça s'affole de plus en plus du côté de ma fille, avec ce garçon-phalène qui rôde, et les amours sont quête de lumière et de feu, et papillon tu es volage comme le dit si bien cet air d'antan, sans compter que la nuit dernière je n'ai pu fermer l'œil de la nuit, m'étant sans doute trompé de pot de café. C'est qu'il y a le pas vrai, à l'eau, donc décaféiné selon cette méthode et non pas la chimique, nocive pour la santé. Secundo, il y a l'autre que je prends fort et noir. Le premier est le deuxième. Je me réserve l'autre pour les soirs et m'interdis de boire alors celui qui risquerait de perturber mon sommeil comme ce fut le cas cette nuit. Enfin ce n'est pas si compliqué: le premier, celui du matin, est un vrai et le dernier, quand il m'arrive d'en prendre le soir, est un café sans caféine, voilà.

J'étais au lit avec mes pensées, elles-mêmes rapides à se chasser les unes les autres, à revenir en coup de vent, un bout d'Élise, le goût d'elle que j'ai gardé sur mes lèvres, une phrase que j'aurais dû lui dire, ma lettre mentale à qui de droit, suivent des pensées cochonnes, puis Élise encore et la Quinzaine du violoncelle dont elle ne m'a encore rien dit, une autre lettre, celle-ci ouverte, qui me trotte dans la tête, destinée au *Devoir*, ou à *La Presse* plutôt parce que c'est un article lu là sur Marina qui le suscite, et je parle dedans de la solution au problème amérindien.

Ma proposition: Il suffirait d'examiner d'un œil impartial la part des maux qui leur ont été infligés par les uns et les autres. D'abord, nous déterminerons ceux qui proviennent du fait français, du régime d'avant la Conquête. Il convient d'examiner des sources objectives. De quoi au juste le roi de France est-il responsable? Puis ce furent les Anglais. Ont-ils agi plus cruellement que les Français? Et de grâce, messieurs, soyez précis, qu'on s'en tienne aux faits. Troisièmement, l'Histoire produit une sorte de rapatriement de la Constitution, et de nouveaux problèmes leur sont alors causés tant par le fédéral que par le provincial, et notons de façon méticuleuse ce qui est le fait de l'un et ce qui dépend de l'autre, pour utiliser ici un terme que j'emprunte à Épictète. Ayant parlé de ce dernier dans la lettre, il appuie de tout son poids philosophique mon propos, cela crée un certain effet et confère autorité à mes dires.

Une fois ces tracasseries juridiques démêlées, il ne resterait plus aux Amérindiens qu'à demander aux diverses parties responsables réparation de leurs torts, comme ont fait les Japonais au fédéral à cause de la guerre et les Inuit parce qu'on les avait déportés plus au nord.

Bref, la France leur verserait des compensations budgétaires de façon à couvrir tous les frais négatifs encourus pendant l'époque où elle couvait encore de sa jurisprudence les quelques arpents de neige dont la perte nous aura ultimement libérés de son giron, c'est une chance inouïe, le point de départ de la lente parturience de notre nation qui n'a pas fini d'accoucher d'elle-même, et tout le monde se pose des questions qui se ramifient et c'est un cul-de-sac. René Lévesque est mort, tout le monde s'endort.

Ensuite l'Angleterre et nos différents gouvernements s'acquitteraient de leur dette. La reine est une femme probe et honnête, elle acceptera de répondre aux premières nations de manière à réparer les injustices. Le fédéral fera de même, puis on déposera notre montant provincial. Tout le monde sera content, calumet de paix, Grande-Baleine, ave César!

Je glisserai en passant un bon mot pour Marina, je veux qu'elle obtienne le rôle. Ce serait un excellent cadeau à faire à la conscience amérindienne que d'offrir Marina pour incarner une des leurs. Quant à ma position sur la crise, je la crois juste, pas tant la crise que ma position, car il faut qu'ils cessent de nous achaler puisque c'est d'abord et avant tout la faute des puissances coloniales française et anglaise, et Dieu sait qu'un Québécois pure laine c'est pas mal plus proche des Amérindiens que des Français ou des Anglais. Ce n'est pas faire l'autruche. Il faut parler droit et loi. Or je renvoie par conséquent les autochtones à ceux et celles qui descendent de ceux et celles qui en termes juridiques les ont spoliés, donc en toute logique, ceux et celles qui firent la loi sur le territoire à l'époque de la presque extermination de l'Assemblée des premières nations.

Je terminerai cette lettre en remerciant la providence. En fait, je bénis le jour de la Conquête. Sans elle on serait encore des Français et ce serait bien dommage.

Mais avant cette lettre où je donnerai ma pleine mesure, il me faudra écrire à Élise. C'est de la plus haute importance. Veut-elle oui ou non m'accompagner à l'opéra? Que sait-elle de la Quinzaine? L'a-t-on pressentie de quelque manière? L'absence de Maurice Baquet à l'occasion de ces événements la chagrine-t-elle? Comment te portes-tu? Te souviens-tu comme moi du moindre détail? Je pourrais dire avec précision la couleur de la robe dans le premier champ, et tes jambes de soleil et tes seins de soleil et ton rire de soleil. Je me souviens des nuits d'hiver quand je te raccompagnais chez toi. On avait travaillé dans les petites salles d'étude au cégep, les cubicules, ceux dont les fenêtres permettaient des retraites, des coins invisibles à l'œil nu des indiscrets ou des comme nous à la recherche d'une salle où faire la même chose, et on s'embrassait à n'en plus finir, et ensuite devant notre case, puis encore dehors, et les flocons tombaient sur nos visages solaires encore et encore, malgré la neige, à cause de la neige si douce, de nos pas ensemble dans la blancheur qui confond les trottoirs et les rues où les automobiles vont au ralenti, et je t'aime encore et j'ai plus de souvenirs que si j'avais mille ans.

J'ai tant de souvenirs et de si nombreuses lettres à lui écrire, non pas des lettres enflammées d'enfant de vingt ans, mais des lettres pour évoquer le passé, amorcer l'avenir forcément différent, puisque désormais il y a le fruit de l'étude et de l'expérience. Je veux avertir Élise, lui faire connaître l'existence d'une pensée que je suis en train de découvrir, à très petites doses il est vrai, mais qui n'en mènent pas moins, mises bout à bout, à une sorte de révélation, pour laquelle révélation Trotski demeure à mes yeux le meilleur des communistes, puisqu'il s'agit de donner une tournure permanente à la révolution, afin qu'elle dure et ne soit pas toujours à recommencer, mais à continuer, pour que je devienne un homme sans retours incontrôlés à l'adolescence vers laquelle il me semble que mon fleuve de vie a trop souvent rebroussé chemin.

Or j'ai déjà un peu parlé de cette révélation à Élise. Elle tourne autour de cette découverte que par après Épictète ne fit que confirmer. Comme si mon devenir s'était mis en branle dans la redécouverte d'un savoir ancien toujours menacé par l'oubli où nous relègue le plus superficiel de ce qui nous est immédiatement contemporain. J'ouvrirai alors une parenthèse pour spécifier dans mon essai que cette découverte ne condamne pas tant le siècle de l'énergie nucléaire que celui de la restauration rapide, de la télé où par sa surabondance suggestive le sexe est réduit au seul regard niveleur d'une norme quantitative et d'une courbe type, taille, mensurations, plasticité, dentition, dessous affriolants, cambrure des reins, gestes évocateurs, explicites, chevelures de rêve, lèvres, fruits de l'écran dont la pulpe mordue ne fait gicler aucun jus parce qu'un écran c'est dur et l'érotisme n'est alors que fantasme et les gens deviennent impuissants même à rêver leur propre sexualité.

Mon essai montrera que le contemporain le plus profond plonge ses racines dans le fondement de notre monde où sourient, entre autres, Épictète, Jésus le farceur et à leur suite tous ceux qui ont pensé, leur être tourné vers la lumière, depuis l'aube des temps, tous ceux qui ont compris la portée de l'amour (j'aurai alors un rictus provocateur, parce qu'ils seront légion les détracteurs du message, les douteurs pour la forme, qui détruisent tout ce qui s'élève sur des bases qu'ils ne perçoivent pas; ils croient avoir vu, ils ont les yeux bandés; ce qui leur semble éculé, ils se le mettent on sait où, j'aurai un rictus vite remplacé par un véritable sourire d'amour; j'embrasserai les marchands du Temple, les faux philosophes de la complication pour la complication), il y aura là Gandhi, Einstein et toute une théorie dans le sens de kyrielle, mais attention à la notion de héros! surtout à éviter, fille du capitalisme puisque le héros a toujours une tête de plus que tout le monde et pas forcément pour penser, il hante le sommet hypothétique de la pyramide, c'est un oiseau de proie, d'où l'aigle royal, symbole de nos voisins du sud, mais ils s'illusionnent, c'est en fait un charognard, un vautour de la pire espèce.

Ma découverte n'est possible qu'à laisser tomber la peur, celle du ridicule y compris. Mère Teresa, je les vois rire parce que vous épurez les mers toutes pleines d'immondices et de misère à la petite cuiller, et le déluge poursuit son cours avec d'immenses raz de marée d'horreur, et vous pansez malgré tout leurs plaies au jour le jour, la tâche est infinie; vous allez parmi les pestiférés, la grâce est avec vous; la lèpre est aussi un symbole et vous n'avez peur ni des symboles ni des menaces en chair et en os durs comme fer.

Alors on peut voir des hommes et des femmes poser sur le monde un regard qui cesse de capitaliser. Ils considèrent le champ du possible et celui de l'impossible. Ils examinent l'esprit des lois. On se met réellement à séparer le bon grain de l'ivraie. Il y a la nature humaine, pleurs et grincements de dents, les vols chez les petits commerçants, la photo dans les journaux de toutes les adolescentes disparues, les enseignants qui posent la main dans leurs souvenirs incarnés, les prêtres qui font pareil, mais parfois sans souvenir, et avec des petits garçons, mais bon Dieu de bon Dieu! qu'on n'accable pas tous les moutons sous prétexte qu'un loup déguisé en mouton noir s'introduit dans la bergerie où il est finalement surpris les culottes baissées, et qu'on pense à nos propres petites malpropretés, il n'y a pas eu le Christ pour rien et tous ses avatars, c'est le bordel à tous les étages, sans omettre la première pierre, la femme adultère si belle et qui cherche le bonheur, la prostituée dont la vie n'est pas rose, et même dans le plus grand luxe... il y a, il ne peut qu'y avoir cette bonne volonté, des milliers de petites cuillers pour épurer les mers, du soir au matin, des petites cuillers, des infirmières, des médecins, des juges, des éboueurs, des laitiers, des hommes et des femmes...

J'aurai à revenir sur cette fricassée. Ma découverte tombe à plat, et me voici les pieds sur terre, au Laurier, hier au soir, avec Alice, Véronique et le pauvre Jean de la Lune qui ne comprend rien à rien et qui me traite de quétaine et de *Jesus freak* alors que je serais, côté cuiller, plutôt à thé.

Discussions entre lui et moi sur ce qui précède. Abordons aussi la mort de l'U.R.S.S. qui le réjouit et qui m'attriste. Il prétend que c'est bien et que tout ça est causé par l'erreur fondamentale du communisme qui se serait écarté de la nature humaine. À l'entendre, les plus imposantes réalisations de l'humanité de notre siècle ont eu lieu en dehors du bloc communiste.

Je rétorque: les principes du communisme étaient les plus purs, leur réalisation seule a échoué. Cet échec ne permet en rien de conclure à l'intempestivité des prémisses (ou prémices, mais oralement il n'a pu visualiser l'orthographe et mon argument n'a rien perdu alors de sa valeur, puisque les interlocuteurs passent souvent d'un niveau à l'autre, cherchant ailleurs la bête noire et la débusquant là où elle se trouve, c'est la raison pour laquelle en politique on ne fait pas long feu quand on a un cheveu sur la langue ou un tic quelconque sur lequel se précipitent alors tous nos adversaires, caricaturistes de nature, on accuse l'effet le plus gros, d'une paille faire une poutre).

Mes arguments sont faciles et galvaudés! Eh bien! Écoute ce qui suit: la valeur de ton capitalisme vient du communisme qu'il s'autorise, c'est-à-dire des idéaux de partage des biens et de justice qui constituent le surmoi du capitalisme, lequel n'a de valeur que dans la mesure où l'idéal communiste l'anime dans ses fondements.

Jean de la Lune n'a pu alors que m'accuser d'enfantillages intellectuels, de paradoxes incohérents, de parler à travers mon chapeau en utilisant des termes de façon bêtement métaphorique.

En fait, je perds mon temps à discuter avec lui. Il ne s'intéresse qu'aux filles, qui en réalité ne le regardent même plus, alors il retombe en enfance, calumet de paix tout seul dans son coin, neige dans le nez, un clou la minute, allez! on pose le coupe-vapeur, il faut toujours lui pousser dans le dos.

Tout bien pesé, il n'est pas si terrible. En mon âme et conscience, j'admets que si je parlais en ligne droite, je me ferais mieux comprendre. Pauvre de lui, Jean de la Lune a un ami qui est en recherche et qui manie mieux le marteau que le concept, un ami qui voudrait retourner sur les bancs d'école et qui n'a même pas le temps d'ouvrir son Épictète que déjà il faut éteindre, tombe de fatigue, le travail, le travail, toujours le travail!

10

Je l'ai dit: le temps est une autruche qui court, la vie nous fuit à toute vitesse, alors j'applique les freins, pour reprendre le dessus, les choses en main.

Jean de la Lune dit que mon obsession quant au sort du monde constitue une fuite face à mes problèmes personnels. Et ta drogue? Cette manie de demeuré, d'être encore un adolescent attardé à téter ses joints, à fumer son hasch, sans parler de sa coke, responsable à mes yeux de ce que plus personne dans le milieu ne veut travailler avec lui. D'ailleurs, interdiction formelle de fumer dans mon camion, même après le travail. Interdiction encore plus formelle de se faire une ligne sur mes planches de cèdre ou de séquoia. Une ou deux bières, j'accepte, mais pas cette régression, pas cet enfer, jamais.

Je suis et demeurerai contre la drogue. Je connais trop la route et ce à quoi elle mène. Et même si je m'y suis peu engagé, je devine le reste, je pressens le pire: toute ma folie se trouverait au rendez-vous, celle contre laquelle je lutte ici mot à mot, pour mettre de l'ordre dans ma vie, et je n'ai pas besoin non plus des conseils d'un lunatique de son acabit pour mes histoires d'amour, il cherche à me faire voir par la serveuse de la Brûlerie, parce qu'il a deviné mon attirance, et pour me stimuler il lui a fait du charme, ou pour m'inciter jalousement à me manifester. Résultat, au lieu d'aller casser la croûte à la Brûlerie, avant de partir à l'ouvrage ou au retour, je lui offre maintenant un Big Mac, tant pis pour lui, je garde ma serveuse pour moi, et d'ailleurs mon intention est de lui foutre la paix. La dernière chose dont ait besoin une demoiselle, c'est d'un gars mal amanché qui a perdu le nord et qui ne fait que commencer à se retrouver.

Mais je reviens à mes moutons, le sort du monde. Ce matin à la radio, j'entends que c'est le début de l'année du singe et que les Chinois vont fêter ça. Tant mieux!

J'apprends surtout que les Chinois s'étaient vu imposer il y a de ça des dizaines d'années, on remonte au début du siècle et peut-être encore plus loin, je préparais le déjeuner, un bruit de tasse aura couvert l'information, imposer, dis-je, une taxe spéciale, dite *hate-Chinese-tax* ou dans le genre. Je suis d'accord, c'est terrible.

L'idée de ce groupe ethnique, c'est, on l'aura deviné, décidément la mode se propage, c'est la demande d'excuses officielles. Que le Canada présente ses doléances, ou plutôt qu'il accepte de considérer leur requête. Cette communauté visible propose le dédommagement individuel et collectif. Le montant global est énorme, à cause de l'intérêt, de l'inflation et de la majoration.

Eh bien, je reprends ma théorie amérindienne, ma lettre à *La Presse*, nos Montagnais et autres camarades empruntent le sentier qui les conduit à Paris et à Londres. Au retour, ils ont des coffres renfloués, le fédéral y verse un autre gros lot et le Québec s'incline. Puis les Français ayant compris le principe, se rendent à Rome, à cause de César et ses Romains, pour qu'on leur demande pardon, quelle salade! et alors le gouvernement italien se plie à leur exigence et entre dans la danse, il consent des millions et pour se remettre d'aplomb, l'instant d'après, navigue jusqu'en Grèce, puisque Rome en a subi la domination. Et les Grecs de faire amende honorable, zut, et puis non! ils refusent et brisent leur tirelire sur la tête des Italiens parce que, nom d'une pipe, la farce a assez duré.

Aujourd'hui, même chose avec Élise. On ne peut pas toujours remonter à la nuit des temps, au déluge, au péché originel, et passer en revue tous ceux qu'on a commis depuis le premier franc baiser où l'on s'aime follement à ce jardin des oliviers où tout dernier baiser trahit un destin, et l'homme et la femme qui se lient n'ont-ils pas plus souvent qu'autrement les yeux bandés comme dans cette toile de Magritte où chacune des deux têtes est recouverte d'un voile?

Je dis tout ça, mais au fond, à quoi bon, Jean de la Lune a raison, je passe mes journées à fuir. Je fuis quand je dépouille mon courrier, quand je discute affaires avec mes clients et fournisseurs, je fuis quand j'accompagne Alice à la messe, elle fait maintenant de tout petits pas de vieille et s'impatiente si on manifeste trop d'attention à son égard, je fuis avec Alice en ligne directe dans le passé, pour le préserver, pour la préserver, garder des traces, contact, malgré la menace quand elle n'y sera plus. Encore un peu enfant, elle-même qui retombe, ne garde que l'essentiel, le plaisir, un don, regarder les choses, l'autre jour de simples moineaux, c'était un signe du printemps, en sortant pour secouer la nappe elle a dit en les entendant que bientôt on ouvrirait les fenêtres, elle est intarissable, au sujet de mon père, «qui a tant aimé ta mère», de leur enfance à tous deux, de moi petit, visites à la campagne, tout ce qui a été, qui risque de sombrer, poussières. D'accord, Jean de la Lune a raison, je travaille pour ne pas penser, je travaille comme un fou depuis Mathieu, depuis qu'après je me sois ressaisi, parce qu'au départ il n'y en a pas un qui trouve ça drôle, il n'y a pas de sympathie qui tienne, pas de réconfort, de bonne volonté, pas d'échine, de cœur au ventre, de philosophie; je ne disais pas: «je l'ai rendu» ainsi que le recommande Épictète, mais: «je l'ai perdu».

Il y a quelque temps je disais avoir bu comme un trou à cette époque. Je dois m'en vouloir pour parler de la sorte, tendance à m'accabler de reproches, parce qu'une série de fautes ont été commises, c'est une impression plus forte que toutes les raisons que j'invoque pour me sacrer patience, me laisser aller en toute liberté; je parle de prison et insiste pour dire que c'est moi qui ai prononcé le verdict, mais j'ai exagéré, j'ai bu, pas trop, j'ai surtout cessé de vivre, plus bon à rien, laissant les femmes entre elles, je veux dire à Élise le soin d'éduquer, d'aimer ma fille, à ma tante la tâche de remonter le moral de ma femme, et moi, ç'a été la descente aux enfers, mille lieues sous les mers, l'aquarium, installé devant, ou plutôt dedans parce qu'il fait le tour, avec toutes les bêtes dont mon fils tout comme mon père disait les noms, une vraie passion atavique, un aquarium-sculpture-d'eau qui monte et qui descend, qui a nécessité des années de travaux, avec une sorte de fontaine éclairée, colorée, une petite chute qui bruit sans arrêt, un véritable dédale de tubes de verre, mais pas trop compliqué parce que tropicaux ou pas, rares et beaux, des poissons, quand bien même ils ont pris de l'âge, c'est idiot, mais eux, ils les aimaient et j'en prenais soin par après, en attendant, mettant ma léthargie sur le dos de la récession, mais ne sollicitant plus personne ou presque, buvant je l'ai dit mais pas assez pour remonter tout croche et vomir, je gardais pour elles un minimum de décence, arrêtant chez Alice, sorte de palier de décompression, avant d'affronter la déprime d'Élise, le bonheur feint mais sain de Véronique qui se défendait tant bien que mal, dans cette atmosphère lugubre, l'âme en peine d'Élise qui n'en menait pas plus large que moi, je l'ai dit, elle pleurait tout le temps et m'accueillait en se séchant les larmes, puis un sourire, cassé, à ramasser à la petite cuiller, chère Élise qui éclatait en sanglots. Rien à faire.

Alors je fuis, nous fuyons depuis notre plus tendre enfance. On joue de la guitare en Espagne à cause des fameux châteaux qui font sa renommée. On peut nous voir ensuite en Angleterre, en France à l'heure des trouvères et autres jouvenceaux que démangent des pucelles. Nous sommes à la cour des rois, et notre père, grand amateur de poissons, s'endort dans son fauteuil et m'affirme à son réveil, à cause de «Greensleeves» ou d'une bourrée, qu'il vient de passer un des plus beaux moments de sa vie, mais est-ce que je jouais si bien? Ces petites études, ces sarabandes étaient bien plaisantes, mais surtout j'étais son fils. C'était sa manière de m'élever. Je pouvais porter les cheveux à peu près longs, former un groupe et chanter à tue-tête avec eux des airs anglais ou tout comme, des «folies», lui, faisait son devoir, mes cours de guitare classique c'était du solide, le reste me concernait, il fallait que jeunesse se passât, il acceptait et me disait qu'un jour vieillesse pourrait parce que jeunesse apprenait quelque chose. Il avait raison en tout cas sur un point: mes connaissances musicales, si minimes fussent-elles, m'aidèrent, mais peut-être moins à faire du rock qu'à montrer à Élise que je pouvais parler, disons plutôt balbutier, le même langage qu'elle. Elle parlait aussi le mien, sans quoi il n'y aurait rien eu, musique mise à part.

Je fuis de toutes parts, ici même, comme un toit sous la pluie, on va à droite avec un seau, puis un peu plus loin, il y a tant de choses qui se déposent sur les rails, alors ma locomotive s'immobilise, je descends, les considère, leur fais ou non une place, et certains tu leur donnes la main ils te prennent tout un bras. Je fuis en rédigeant cette espèce de pseudo-autothérapie où l'on passe du toit au train sans même crier gare, thérapie de deux sous faute de moyens adéquats, et je raconte n'importe quoi n'importe comment, en vue d'un essai très abstrait que je ne pourrai entreprendre que si je passe par la pensée où enfin me donner mon véritable coup de grâce, et je ne saisis pas tout à fait ce que cela signifie. Toute ma vie j'ai dit des choses que je ne comprenais pas vraiment à cent pour cent. Mon coup de grâce, mais je l'entends comme une cloche, une idée de renaissance. Il y a une métamorphose possible. Je vais enfin mourir, en finir avec l'enfance. J'ai beaucoup réfléchi à ce passage d'Épictète: «Accuser les autres de ses malheurs est le fait d'un ignorant; n'en accuser ni un autre ni soi-même est d'un homme parfaitement instruit.» Ça se trouve à la page 210.

Ce qui est formidable, c'est que cette phrase correspond tout à fait à une de mes découvertes. En cours de thérapie, après avoir déversé des tonnes d'ordures sur la tête d'Élise, parlé contre papa qui me semblait alors n'avoir été qu'une vieille marmite juste bonne à mijoter constamment les mêmes mots d'ordre, de devoir et de tradition; après avoir dit tout le mal que je pensais de mes meilleurs amis, je ne sais pas de qui je parle ici mais ça fait du bien de penser qu'il n'y en a pas eu qu'un; après tout ce brassage de merde, j'ai commencé à m'en prendre à moi-même. J'ai fait mon procès, et comme avocat je ne me suis pas raté, j'ai mis le paquet, dépassé franchement la mesure, impressionné le parquet, je dis ça pour détendre l'atmosphère, nous étions seuls, qui de droit et moi, piteux l'accusé, forcément coupable de tout, honteux comme une teigne, mot qui vient de Brel, critique impitoyable de la Belgique, aussi impitoyable que le fut mon jury, composé de douze petits moi, stricts, victoriens, tremblotants sous l'œil démesurément intransigeant du juge dont je prononçais impitoyablement les sentences qui tombaient comme des couperets ou des édits de Nantes.

Cette manie dura pendant des mois et des mois. C'est comme les saisons de pluie, de grisaille, de froid humide et tout le tralala qui a le caquet bas.

Mais un jour, un beau jour, sans voyage dans le sud, sans loto, sans rien qui saute aux yeux, ça périclite lentement, la vérité se métamorphose, il y a autre chose, une modification de fond. Il va falloir s'ajuster, on ne peut plus refuser la joie, on voudrait danser, on vient de comprendre que vivre c'est aussi commettre des erreurs, on ne peut pas savoir sans apprendre, c'est ce que dit le père de Pinocchio à son pantin. Nous étions pantins, c'est ça qui cesse d'être vrai.

Maintenant que c'est terminé, je vois bien que ça continue. L'interruption de la cure ne met pas fin à la prise en charge de sa vie par le consultant, bien au contraire, le travail se poursuit tant bien que mal et le philosophe ne fait que donner forme à ma découverte. Épictète me fournit des mots pour des idées que parfois j'ai eues avant lui. Il met en phrases cette découverte capitale qu'il appartient à chacun de nous d'éprouver. Et sûrement, ailleurs, hier ou demain d'autres le diront: nous ne sommes pas responsables de tout, mais nous avons un rôle à jouer. On peut choisir d'être autre chose que fétu de paille sur le grand fleuve de la vie. Grand fleuve de la vie est une appellation discutable, digne d'un gourou grand format s'adressant à un public aussi vaste que débile, mais je comprends ce que je dis même quand la formulation laisse à désirer. Cependant je remarque ceci: chaque fois que je parle de mes découvertes, ça tombe à plat. J'ai essayé avec Élise l'autre jour au téléphone et elle m'a demandé si j'avais fumé. Les mots me manquaient ou alors ils faisaient très fleuve de la vie. Même chose avec Jean, il a trouvé que c'étaient des lapalissades, mot qu'il n'utilise pas puisqu'il ne joue pas au scrabble et puisque surtout il ne lit pas autant que moi, d'où mon vocabulaire qui souvent l'énerve et lui en met plein la vue, comme vicissitude, pléonasme, atrabilaire, fomenter, rictus et zoïle qui est une arme fatale que je n'hésiterai pas à employer un de ces jours pour lui damer le pion.

11

Tout ceci est beaucoup trop mélangeant. J'ai appliqué les freins. Me voici dans la serre, c'est l'après-midi, avant-goût de printemps. Dehors il y a cette odeur nouvelle qui s'annonce, à peine perceptible, qui vient des bords de trottoirs, là où la neige a fondu, la terre a ramolli.

J'ai voulu marcher dans le parc, mais il y a l'urgence du travail. J'ai songé à me rendre à la Brûlerie, mais je n'ai besoin de rien et ça risquerait de lui mettre la puce à l'oreille: elle est ma petite dose de féminité hebdomadaire, parfois deux et ç'aurait été trois fois cette semaine. Or le temps par ailleurs file comme un lièvre, les papiers sur mon bureau s'amoncellent en chaînes de montagnes, j'ai là des Himalaya, mais aujourd'hui je m'en fous, c'est vendredi, il sera bientôt trois heures de l'après-midi et il est temps que je pense à moi.

J'accuse un retard incroyable sur le plan intellectuel, je parle de ma prise en charge de moi et de mon regard plongé au plus creux de mes entrailles pour en avoir le cœur net et connaître le reste de la route. Je me suis un peu perdu de vue et tous les autres s'agitent dans le mélangeur de ma vie intérieure, un petit bout d'Élise par-ci, une pensée pour Alice, les talons retournés de ma fille qui part tout le temps et qui tient de moins en moins en place à cause des garçons, Jean de la Lune qui s'affole, qui fait le coyote et déraille, j'en ai bien peur, c'est une longue histoire. Je passe beaucoup de temps à chercher à le rassurer, mais que puis-je faire pour lui? Son cas dépasse mes compétences. Il a des yeux que je ne lui ai jamais vus, une façon pas à lui de se taire et de se retourner comme pour vérifier s'il n'est pas suivi. Il n'est plus là, je lui parle, il est ailleurs. Je hausse le ton, répète une deuxième, une troisième fois: «va chercher le coffre», il revient sur terre. Il semble faire des efforts prodigieux, dans sa tête, où il lutte avec je ne sais quelle force, peut-être des souvenirs, des remords, un chagrin d'amour, une dépression?

Je vais revenir sur ce sujet, mais d'abord deux choses. Primo, une pensée notée l'autre jour, et qui devra trouver sa place dans l'essai. Secundo, liée à Jean et à son histoire de fou, je pèse mes mots, liée à Jean, une confession qui n'a rien de bien terrible, mais tout se tient.

La pensée. Je l'ai eue l'autre jour dans mon camion. J'avais du temps à tuer avant un rendez-vous. Une idée m'est venue, je l'ai prise en note. Elle concerne une de mes découvertes, au fond ma seule découverte, celle que j'ai faite quand j'ai atteint le sommet de mon tertre, un monticule d'homme du commun, et j'amorce maintenant la descente sur l'autre versant. Je copie cette note qui sinon risque d'être égarée, mais avec elle ne s'évaporerait pas forcément cette pensée. Je défonce peut-être des portes ouvertes, en voici une de plus:

De la nature du mal (ce sera le titre)

Il n'y a de mal que dans la mesure où nous agissons aveuglément sans savoir, si oui ou non, ce que nous faisons, ce que nous sommes, est compatible avec tous les facteurs: soi, l'autre, notre manière d'imaginer le monde et la réalité que les philosophes appellent la réalité objective. Est-ce en rapport avec notre pensée, quand pensée il y a? et quand pensée il n'y a pas, quel est le rapport? Ce n'est pas très clair. Un phénomène nous servira ici d'exemple.

Prenons le désir. Désirer n'est pas mal en soi, quoi qu'en puissent penser ceux qui optent pour Bouddha. Mais voilà qui peut causer de nombreux ennuis si c'est la femme du voisin, ou pour parler dans le ton de l'essai, si tu ne sais pas ce que tu veux et peux faire de ton désir. Le problème réside en cette dynamique entre faire et pouvoir. Les combinaisons abondent. En voici deux: Que puis-je faire de mon désir? Que puis-je désirer ne pas faire? Trois et quatre: Qu'est-ce que je peux faire, et désirant, que dois-je ne pas faire? Ou encore: Je veux faire ce que je peux faire, faire ce que je ne peux pas faire, et l'on pourrait poursuivre ainsi jusqu'aux petites heures.

Le problème, c'est qu'on ne sait pas ce qu'on veut. Il faut découvrir en nous cette volonté et lui donner un épanouissement, la mettre à jour. Fin de la citation.

J'ajoute: Le problème, ce n'est pas uniquement cette ignorance fondamentale de ce que nous voulons, c'est que nous ne connaissons pas la personne que nous sommes et qui veut quelque chose à travers notre chair, à travers cette ignorance de nous-mêmes qui en partie nous constitue. Je m'exprime de travers et la terminologie me fait faux bond. J'y reviendrai un jour ou l'autre.

Chère Élise, belle Véronique et vous jeune demoiselle de la Brûlerie à qui je souhaite d'aimer la vie et d'être heureuse, voyez comme la morale est claire, la morale de mon histoire, comme on les voit à la fin des fables de La Fontaine: ayant erré deçà delà, je m'engage désormais sur la pente de l'âge qui décline, avec un soupçon d'œil dessillé, avec la ferme intention de ne pas gâcher ce qui me reste de force quand sonnent les dernières heures du jour; avec le désir nouveau d'une harmonie, ma décision étant prise, après quarante années d'ignorance, voici mon éclair de génie, une trouvaille toute simple, cette aiguille dans la botte de foin qui se met à scintiller, quoi! je vivais, elle était à ma portée, n'attendait que ma génuflexion pour se laisser enfin cueillir.

Il y avait à mes pieds un trésor extraordinaire de simplicité, l'or du temps perdu et retrouvé; j'ai nettoyé la grange, tout ce sur quoi quarante ans d'hallucinations et d'imaginations avaient fait œuvre de destruction, et dans la poussière et les ordures j'ai trouvé cette clef, moins un mot qu'une qualité, un credo.

J'ai trouvé ma responsabilité, précisément le champ qu'elle occupe au milieu duquel je serai désormais le semeur.

Passons maintenant à l'aspect autobiographique des lignes qui vont suivre. On sait que j'avais décidé de ne plus jamais fumer. Cette décision, la mort de Mathieu l'avait en quelque sorte renforcée dans la mesure où il y avait eu ces longs mois où je marinais dans la cave et par conséquent une période sombre et creuse. Multiplication des bières même si parfois je prétends presque le contraire. Une réaction salutaire finalement, un recul soudain, une vague d'effroi: je vis pêle-mêle Alice priant naïvement l'enfant Jésus, ma Véronique dont j'étais le jardinier négligeant, saccageant ses plates-bandes, elle, passant les plus belles années de sa vie avec un père si bas; je vis mon Élise, sa tristesse, pire que la mienne à cause de la largeur incroyable du champ d'amour chez les femmes, le deuil les touche dans la fine fleur de l'âme.

J'avais cessé de fumer, une fois de plus. Je n'aime pas évoquer ces choses. Je ne sais pas ce que je serais devenu sans ça, mais je suis certain que j'aurais eu plus d'ambition.

À la campagne, Élise et moi faisions pousser quelques plants, c'était l'époque. Pendant longtemps elle n'avait rien voulu savoir de ça, mais tranquillement on avait commencé à fumer. Je raconte mal. Il y a un ordre. Au départ, ça m'arrivait régulièrement. Puis je la rencontre, je suis un gars de groupe, c'est normal, mais Élise voit ça d'un autre œil et me gagne progressivement et tout naturellement à sa façon de voir. Élise associait le pot à Jean et à mon cercle de poteux. Or à la fin elle désirait moins nous accompagner à titre de violoncelliste que faire de moi son compagnon. Je n'ai opposé aucune résistance au phénomène de l'attirance physique, alors le pot et les chums ont pris le bord. Ç'a été notre lune de miel, et même si on a connu par après nos meilleurs moments, musicalement parlant, le tandem des deux Jean de la Lune n'avait plus cette complicité, le noyau s'était fissuré, j'appartenais à une autre aventure, je grandissais ailleurs, et de cette perte Jean a sans doute beaucoup plus souffert que je ne pouvais le croire.

Puis nous nous sommes mariés.

Voici l'anecdote: Un soir, Élise a roulé un joint. Nous étions à la campagne, vivant cette vie tranquille avec les chèvres et mes antiquités. Parfois je lui disais que c'était un peu trop fréquent, ou alors elle prenait le relais quand l'abus venait de moi. Véronique était toute petite, elle marchait et parlait, nous lui lisions des histoires, nous l'aimions beaucoup et je pense qu'Élise aimait notre vie, mais je savais que quelque chose lui manquait, du reste, je ressentais aussi un certain vide et du malaise à l'occasion. Enfin, elle a roulé ce joint, puis nous en avons fumé un second et ainsi de suite.

La plupart du temps ça nous assommait. On faisait un feu, on s'endormait devant. Ce soir-là, les choses prirent une autre allure.

Je n'entre pas dans les détails, mettons que tu t'es mise à me caresser, chère Élise, avec tes mains que j'ai tant aimées, et je me souviens de moments plus tendres encore ou frénétiques, de notre jeune fureur, de nos nuits, de nos étés, dans une pureté que sans toi je n'aurais pas connue, du moins pareillement, en tout cas tu étais ma femme et c'était de toi que me venait ce grand bonheur, dans une pureté où je ne peux manquer de t'apercevoir chaque fois, comme dans la fraîcheur de ces matins, avec la lueur du jour naissant, dans cette vieille maison, une fille nous était née, tu posais sur elle le plus doux de tes regards, il y avait la tranquillité de tes gestes au-dessus de son corps si fragile, l'assurance et la fermeté de ton amour, des siècles et des siècles de lait gonflaient ta poitrine et tu souriais comme font les femmes qui aiment.

Mais cela s'est brouillé. Il y a eu la perte et l'oubli de cette lueur, l'oubli de ta beauté, je n'ai pas su reconnaître le chemin, on s'est perdu de vue. J'ai renoué avec d'anciennes ambitions que je ne m'étais jamais vraiment connues. Puis il y a eu cet autre temps, la décision de quitter cette vie, cette solitude à trois, notre lait de chèvre et ces si bonnes bêtes tellement proches, j'aime à le croire, d'une certaine vérité. Il y eut ce tournant dans nos vies, parce que, disions-nous, il fallait donner à notre fille la plus sûre des éducations, tout le nécessaire, mais en réalité il s'agissait d'autre chose, autre chose qui remontait à la surface, l'image renvoyée par le miroir finalement nous décevait, nous étions en deçà de notre réussite, il y avait des fêtes auxquelles nous n'assistions pas, nos amis y dansaient déjà, la vie allait nous oublier; un champ et des chèvres dedans, cela n'était pas le monde, on s'était trompé. La grave erreur aura été de l'avoir cru, je veux dire d'avoir cru qu'on s'était trompé.

Mais je viens encore de prendre un chemin de traverse. J'allais évoquer cette scène qu'on a jouée malgré nous devant notre pauvre Niquette, vraie scène de primitifs avais-tu dit par après, et on riait mais plutôt jaune. Nique était descendue pour nous retrouver, nous étions au salon et nous ne dormions pas devant le feu. Tu étais affairée là où j'aime tant, et je regardais les flammes du foyer sans les voir vraiment, et refermais les yeux de plaisir, me plaignant doucement; tout cela était un rêve lent qui s'animait, se gonflait, allait franchement nous élever quand je m'emparerais de toi, nous serions tous deux bientôt fous. Mais on ne s'est jamais rendu là, parce qu'au moment où je rouvris les yeux, ayant entendu un tout petit filet de voix, mais pas ses pas dans l'escalier, toute petite dans sa robe de nuit, éblouie sans doute par la blanche lumière de notre corps à corps, Nique se frottait les paupières, et notre souffle emplissait la pièce, je me redressai vivement, cela coupa court, tu te couvris. On s'est tant bien que mal recivilisé.

Cette nuit-là ensuite, on s'est parlé dans le blanc des yeux. On a convenu qu'il était temps de devenir adulte, qu'il fallait passer à autre chose, qu'on allait changer d'air.

On est alors revenu en ville. Élise a commencé à donner des cours, à domicile, et renouant avec d'anciens camarades elle a obtenu plus tard un travail de pigiste à Radio-Canada. De mon côté je travaillais avec la belle antiquaire de la rue Green à l'autre bout de la ville. Elle et moi, on a d'abord beaucoup ri, une complicité s'établissait et grandissait de jour en jour, basée sur une séduction mutuelle, reconnue pour telle mais implicitement, avec allusions subtiles mais pas toujours. Dire que je regrette serait mentir. C'était autre chose, qui m'appartenait, affaire privée, une autre vie, dans l'arrière-boutique où au début on potait un peu, on était d'ailleurs des copains de longue date puisque déjà de Sutton je venais faire mon tour pour vendre mes vieilleries. Mais des joints on est rapidement passé à la chose, si bien que je trompais Élise deux fois plutôt qu'une, en fumant alors qu'on avait mis ça de côté, puis comme il se doit en sautant par-dessus la clôture.

Pour elle, je représentais sans doute, je le dis en toute humilité, une manière d'étalon, un orignal québécois pure laine sorti tout droit du bois, un paysan rustre et musclé, beau gars, je le dis comme ça, qui contrastait avec son vieux prof de mari qui enseignait à McGill, ennuyeux comme la pluie, terne, alors que je lui plaisais et qu'on n'y allait pas de main morte dans l'arrière-boutique après la fermeture. Puis je rentrais docilement chez moi, elle retrouvait son prof et moi tout doux, mari exemplaire, j'embrassais ma femme et ma progéniture comme si de rien n'était.

Mais je reviens à mes moutons. Confessions d'un usager des drogues douces. Prolégomènes dans le sens restrictif du terme à un petit drame qui en concerne un autre, mais dans lequel drame je joue un rôle à mon corps défendant. J'ai beaucoup fumé de seize à vingt ans, puis moins, reprise ensuite de cette activité qui freine toutes les autres, avec une pause, Élise et moi en ayant décidé ainsi. Épisode Mona égale période d'usage. Mais j'ai complètement cessé de fumer par la suite, sauf que j'ai retrouvé de la Lune, à qui j'ai dit non et non au moins mille fois. Or voilà, j'ai cédé, une fois n'est pas coutume. L'autre soir on a fumé. C'est à ce moment-là que j'ai pris la mesure de l'étendue de son problème, pas une mesure scientifique, mais mon impression n'est sans doute pas si éloignée de la réalité objective.

On a fumé dans la cour à côté de la serre, un maudit bon pot, quelque chose de fort dont l'effet pour moi est à multiplier par trois étant donné une si longue période d'abstinence. Dans la cour comme des délinquants, parce que je ne voulais pas que Véronique puisse sentir l'odeur si agréable du pot si elle descendait pour une raison ou une autre, mais il était assez tard et elle m'avait déjà donné mon baiser du soir. Il me semblait que j'aurais eu l'air pas mal idiot, et ayant donné un si mauvais exemple, comment prêcher pour une autre paroisse, advenant le cas où il lui prendrait l'envie de faire pareil avec des amis à elle que je soupçonne d'être du genre à en prendre?

Mais voici le vif du sujet. Après avoir fumé, nous sommes rentrés. On a rigolé dans la serre, puis on s'est rendu dans l'aquarium avec les poissons de papa qu'on a admirés comme autrefois. C'est une vieille amitié, on s'amuse bien, on se comprend comme larrons en foire.

Alors tout naturellement, en sortant ma Gibson de son étui, ma Gibson du film *Help*, on a ressuscité Gens de la Lune. J'ai pris ma guitare classique et on s'est mis à jouer. On était dans le domaine du très gelé, du surgelé, je me sentais assez bien.

Jean s'est mis à fredonner «Nowhere Man» puis à le chanter de mieux en mieux, avec une voix assez spéciale, je veux dire troublante de ressemblance, comme dans une parfaite imitation, mais l'illusion dépassait le simple phénomène du talent ou celui de l'identification qui fait qu'on prête à autrui ses cordes vocales en les modelant sur les siennes, non c'était autre chose, ou du moins ça en donnait l'impression, une très forte impression, à savoir que c'était l'autre lui-même qui empruntait à mon ami son appareil vocal. Il s'agissait de la vraie voix du vrai Beatle, presque des mêmes yeux, sa bouche ayant un pli tout à fait similaire. Avais-je trop fumé? Il chantait et moi qui l'avais d'abord accompagné, je me taisais et ne jouais plus. Je le regardais, je l'ai laissé aller, il n'était plus de ce monde, son regard flottait au-dessus d'une foule en délire, des filles pleuraient et s'évanouissaient, je pense que j'hallucinais, ou plutôt je l'ai cru à cet instant, mais halluciner avec du pot c'est plutôt rare même quand l'effet est à multiplier par trois ou quatre à cause de l'abstinence antérieure.

J'ai fermé les yeux, j'ai cherché à me convaincre, c'était sûrement dû à un talent fou de sa part et à quelque trouble de perception sensorielle chez moi que j'attribue à un excès de fatigue. J'ai tant aimé mon meilleur Beatle quand j'étais jeune, il est normal qu'un pareil phénomène se produise quand l'état de veille est altéré par une substance illicite. Et de la Lune chantait de plus belle, puisant dans la crème du répertoire, deux, trois chansons de la belle époque et une autre architypique de Lennon que je ne connaissais pas et qu'il improvisait peut-être, dans le style du regretté.

Après sa prestation, moi je n'applaudis pas; il n'y avait pas de jeu, ce n'était pas drôle. Il semblait mal en point, sur le bord de l'effondrement, catastrophé. Il tremblait. Ses yeux affolés se posaient sur moi, puis m'évitaient.

Il m'a tout avoué, cela a commencé il y a quelques semaines. Il veut chanter ces vieux airs, il veut bien les faire ressemblants, mais il n'insiste pas, cependant il sent que c'est plus fort que lui, une présence se fait sentir, il sent qu'on lui prête main-forte, qu'on le soulève, un ange, une ombre de lumière, comment dire, il se sent inspiré, plus que ça, il a l'impression qu'il n'y est pour rien, ça se fait sans lui, tout seul.

Il prétend que ce n'est pas de l'imitation, mais de la magie. Il est très inquiet. Me monte-t-il un bateau? Dieu sait combien il est comédien. Je lui ai conseillé de ne plus fumer. Il a avoué qu'en effet c'est plus intense quand il a fumé, que l'inspiration magique arrive à toute allure et que l'impact l'assomme. S'il prend sa guitare sans avoir fumé, c'est là malgré tout, mais atténué. Il m'a confié qu'il évite parfois de chanter ces airs-là, mais il se dit hanté par une force, et sur un ton plus bas, et comme regrettant de dévoiler un secret, il m'a parlé d'individus étranges, deux hommes, mais il y en aurait peut-être tout un groupe. Il les croise dans la rue et ils lui adressent des clins d'œil. Ils seraient indiens, originaires de l'Inde. L'un d'eux porte un turban et lui fait de larges sourires. Le plus petit cherche à entrer en contact avec lui. Il a échappé un paquet devant Jean et s'est penché pour le ramasser, alors Jean a dû ralentir le pas pour éviter la collision. Ces hommes l'espionnent.

12

On expose au Musée des beaux-arts des chefs-d'œuvre du Guggenheim. Tant mieux! J'irai faire mon tour. Mais moi, ma joie ce fut l'autre jour de voir un nu de Modigliani sur le flanc d'un autobus, et depuis ça n'arrête pas, il y a en a par toute la ville. En plein cœur de l'hiver, quelle bouffée de chaleur! quelle splendeur!

Mais j'ai vite craint que de vieilles prudes ne se mettent à brandir leur parapluie, à hurler leur indignation. Y a-t-il eu quelque mouvement de controverse? quelques plaintes à la radio dans les émissions prévues à cet effet, téléphones à la STCUM? des lettres au *Devoir* pour dire que quand même c'est pas des choses à faire? qu'on voit sa touffe et que pour peu ça va se mettre à baisser leur braguette dans le milieu de la rue pour honorer le buisson ardent de la belle!

Je n'ai pas eu le temps de suivre les événements, mais je suis heureux de voir que la beauté peut orner la ville sans qu'on se mette à craindre des flambées de MTS. Les gens font de curieux rapprochements et j'ai pour mon dire que malgré tout on n'est pas si libéré que ça à Montréal et en province. C'est que les gens ne font pas la différence entre le contenu d'une toile et la toile elle-même, et au cinéma entre l'histoire et le film, dans un roman, entre le personnage et l'auteur. Cela saute aux yeux, il y a une différence, mais certains sont aveugles, il leur faudrait une madame Van Zouzou à qui je rendrai toujours hommage d'avoir su profondément orienter mon choix de carrière quoique avortée. En effet, cette dernière a beaucoup contribué à nous faire comprendre les arts et que si les œuvres sont admirables, il convient de savoir les admirer pour les bons motifs.

Par exemple, plusieurs admirent Van Gogh parce qu'il s'est coupé l'oreille. Il représente à leurs yeux une victime de la chose que généralement on chérit le plus, bien que le commun des mortels ne soit pas assez fou pour se jeter dans la gueule du loup, et cette chose qu'on chérit, c'est l'exaltation romantique de la passion dont nous viennent les héros tragiques. Comme avec les soldats, sauf que ça se passe par après, c'est de la récupération, tout se passe comme si la société disait à ces hommes et à ces femmes: «Allez-y, tête baissée, foncez droit devant, affrontez les fauves, bravez les interdits!» Et nous, le soir venu, devant nos téléviseurs, rivés à nos écrans on revivra par procuration vos exploits malheureux, vos bons et vos mauvais coups. Boucs émissaires, j'aurai à votre gloire et pour dénoncer le phénomène de cette grossière exploitation, un chapitre dans mon essai que je consacrerai à la fonction des mythes.

Je montrerai dans mon livre que les héros tragiques sont portés aux nues parce que la vie est dure, et alors un homme souffre puisque l'amour se fait rare, d'où la prostituée qui se présente au bon moment dans cette vie fermée, une femme parfois admirable que la vie a déçue, et cela ne signifie pas qu'elle soit une moins que rien, dont la preuve du contraire résiderait dans ce lobe que Vincent lui fit parvenir. Et alors la postérité d'applaudir, se donnant bonne conscience, et des idiots de mon acabit de s'élever contre ce cirque, quand il s'agit de notre déchéance à tous, le notaire ayant une oreille coupée, et la femme du voisin étant, toute bourgeoise et réservée qu'elle soit, comparable à une pauvre catin que la misère a contrainte au rituel de l'effeuillage.

D'aucuns apprécient une toile parce que la plaine les enchante, ou ces fleurs posées sur la table, ou encore dans les draps fraîchement défaits la chair invitante des nymphes. Ceci est un leurre. Je m'explique.

Prenons une très belle femme. La voici. Eh bien, qu'elle se déshabille sur-le-champ. Le peintre est d'abord un homme. S'il œuvre parmi ses pairs, dans un cadre académique, il s'en tiendra aux civilités. Le modèle sera un ange presque de pierre. Nulle paume n'effleurera ses rondeurs. Il faut obligatoirement en art et en amour une certaine dose plutôt généreuse de rotondités.

Mais un peintre peut préférer le calme de son propre atelier. La jeune femme se présente. Un modèle comme il les apprécie. Elle est charmante. Il vient tout juste d'infuser le café. Des liens se nouent. Il s'appelle Manche de Pelle ou n'a pas encore de nom. Une attirance commune prend naissance. Si bien que dès les prochains rendez-vous règne la sauvagerie de l'étreinte, enfin une formidable bête à deux dos s'anime, c'est le plat principal, nul n'y peut résister, c'est l'ultime dessein de la vie, notre raison d'être, l'art est secondaire, la vie d'abord, la fête, la célébration, l'action de grâce.

Ensuite on peut passer au travail, au but qui est d'atteindre le sommet de l'art. Le peintre s'empare de ses pinceaux, la femme fait le reste. Dans le regard et les gestes qui prennent le relais de l'amour, qui n'est pas toujours l'amour, le peintre fait son travail et les curieux se presseront au musée, longtemps après que des marchands auront proposé les toiles à de richissimes personnalités.

Il y aura eu la bohème, le mythe aux yeux de tout un chacun, ce mythe qui en partie en était un chez les plus idiots de tous ces artistes, mais qui chez les autres correspondait tout simplement à leurs travaux, à leurs jours. Mais il y a, j'insiste, un malentendu à croire qu'être un artiste c'est nécessairement faire bande à part, figurer parmi les grandes têtes de l'humanité, quand on sait que tous les mortels sont mortels, au sens que donnait Socrate à ce très simple vocable.

Qu'on me comprenne bien, j'affirme ici que maints artistes, et parfois les meilleurs, ne savent éviter les qu'en-dira-t-on, contribuent à alimenter la fiction selon laquelle un personnage de haute stature doit être de son vivant un monument posé sur un socle, alors qu'il n'a qu'à se contenter de faire son travail sans se nuire ou à autrui, le plus honnêtement possible, sans esbroufe ou cinéma déployé juste pour la galerie.

Ma joie donc, de voir le nu sur le flanc de l'autobus, par toute la ville, et nul n'a froid aux yeux. Je suis heureux, heureux de la gloire qui vient nous colorer l'hiver, non pas la gloire de cette bohème qui fut celle de Modigliani, au diable celui dont Gérard Philipe dans le film a fait comme on dit un saisissant portrait! au diable dans le sens que prend ce mot quand on cherche à signifier qu'on s'en fout de l'ivrognerie, du sans-le-sou et de la misère comme en connaissent les pauvres artistes dont le mythe, toujours le mythe et cetera. Or il était peut-être un homme sincère et dont l'âme fut belle, mais là n'est pas la question. On la retrouve, éblouissante, sur la chair de la toile; la question se trouve posée dans la couleur de ses membres, sur le ventre clair, dans l'invitation qu'il nous fait à valser jusqu'aux étoiles du septième ciel de la joie qui dit oui quand la belle nous sourit et dit: «viens, viens au printemps de la joie», et alors c'est oui, et je partirai ce soir, pour la rejoindre. Dans le grand dortoir des autobus je me glisserai auprès d'elle, dans la pureté de ses bras nus, pour la douceur de sa poitrine où les colombes si douces de l'amour nous accueillerons, ainsi les fruits de la corbeille essentielle, je t'aime, ce sont les plus beaux mots, je me glisserai auprès d'elle, parce que je m'ennuie d'Élise et parce que, d'autre part, il me semble que mon cœur est sur le point de battre comme un tam-tam africain afin de m'annoncer que la fille de la Brûlerie est du genre qui me chauffe les sangs.

Je ne veux pas ce que je ne veux pas, mais pour combien de temps encore? Ne vais-je pas sous peu me mettre à vraiment savoir que je désire ce que je désire mais ne veux pas désirer par crainte de tout ce qui s'ensuit, alors que tout me semble si compliqué, malgré la philosophie ou compte tenu de la folie-sophie (quand on ne sait plus trop à quel saint se vouer, il est possible d'inventer des mots pareils), ne peut-on pas en effet penser que le plus sage serait de voir à s'accorder un brin de folie, à faire une plus large part à nos caprices, à nos fantaisies, et un pied de nez à nos meilleures intentions?

À mon âge, je ne suis plus le premier venu, je n'ai pas l'âme des galanteries et je crois en avoir perdu le goût, plus envie de jouer au m'as-tu-vu, de traiter qui je convoite comme un vulgaire tas de crotte pour qu'on sache enfin qui est le plus fort, ce ne sera pas moi, et si j'aime, je ne pourrai prétendre le contraire. Je ne veux plus recommencer l'histoire du petit chaperon rouge, mais n'ai-je pas fait les yeux doux malgré tout?

Je respecte les femmes. Ça ne se dit pas. En fait, si je m'écoutais, j'arrêterais dans la rue chaque jour deux ou trois femmes, et même pire que ça, simplement pour témoigner de ma gratitude et leur rendre mes respectueux hommages. Hommages à la beauté, qui n'est pas que la beauté, tout le monde sait ça. Hommages et remerciements sincères.

Par ailleurs, je suis un fanatique de la nudité des femmes. Je ne veux pas peiner les moins jolies, mais comme Polichinelle avait les siens, c'est un secret pour personne, rares sont ceux qui échappent à la règle, je préfère les jolies et mes regards se portent sur elles, comme à la Brûlerie ils se portèrent sur elle. J'y vais pour le café, mais Dieu sait qu'elle l'apporte parfois à ma table. Elle me plaît, c'est tout à fait normal. Je l'observe avec toute ma discrétion, de loin, sans sortir de ma tête, ne faisant quoi que ce soit pour attirer son attention. Je puise en sa présence un certain repos, oasis dans le désert, c'est tout.

Comme elle m'intéresse vraiment, je lui jette de moins en moins ces petits regards furtifs, afin d'éviter qu'elle ait la puce à l'oreille. Autrement dit, plus c'est fort, moins je le montre, parce que je ne veux pas d'histoires de chaperon rouge, ayant d'autres chats à fouetter.

C'était mon opinion, un quant-à-soi, stratégie défensive, terrain déclaré neutre, il ne se passerait rien d'autre que l'oasis, bouffée d'air frais, parfum-café, sa manière de circuler entre les tables, avec la grâce d'une danseuse, l'élégante sobriété d'une jeune femme, cela suffisait.

Le rêve en a décidé autrement. Je dis le rêve puisque je dois rendre à César ce qui est à César, il a été plus fort que moi. Je ne me suis pas aperçu de ce qui s'est produit, soudain c'était du cinéma, et la salle s'est assombrie où sa présence à elle seule créait toute lumière.

Je buvais distraitement, crispé comme un extravagant. Cette jeune femme passait, avec sa jambe de statue, et je la suivis dans tous ses mouvements. Elle allait d'une table à l'autre, portant des plateaux. Il y avait ses jolis cheveux, j'aurais aimé y plonger mon visage; il y avait ce petit air jeune et enjoué, si léger, une sorte d'entrain que je ne connais plus, celui des gens qui ont la vie devant eux, et nulle méchante langue n'a remué dans son palais cette mauvaise haleine qui augure le pire, afin de les mettre en garde, souhaitant dans leur for intérieur qu'ils se précipitent dans la mêlée afin de perdre ce joli plumage, ce si précieux ramage; mais ils ne sont pas encore parvenus à ces extrêmes, un temps les épargne, des dieux veillent sur eux, et tout leur être prononce un oui à la vie qu'ils n'entendent peut-être même pas. On peut observer sur leurs lèvres une sorte de sourire perpétuel.

Je voyais et pensais ainsi, absorbé dans cette sorte de rêverie. Ses bras étaient gracieux, au mouvement coulant, je pensais à l'eau d'une rivière, elle en émergeait, baigneuse, vive, et j'étais ivre de cette vision, puisqu'elle venait maintenant dans ma direction, l'eau ruisselant sur sa peau et le sourire de ses yeux perpétuels enfin posés sur moi.

Il dut y avoir un temps d'arrêt, assez long, que je passai à ajuster ma vision, à ramener mes yeux du dedans à la véritable scène qui était réellement en train de se produire. J'étais comme pétrifié, la serveuse effectivement m'adressait un regard, mais plutôt sévère. Imbécile, je la regardais moi aussi, ne comprenant pas. Cela a sans doute duré peu de temps, mais ma confusion d'après et ma gêne firent qu'il me sembla qu'une éternité venait de s'écouler, car elle eut enfin un mouvement d'impatience qui me fit sortir de mon hébétude. Elle prit la parole, mais là encore le rêve se poursuivait, du moins en lambeaux qui s'évaporaient, si bien que je ne compris que très vaguement sa repartie. Aussi n'ai-je pu que balbutier des excuses confuses, du genre: pardonnez-moi mademoiselle, je ne sais pas trop de quoi il s'agit, je me suis sans doute endormi.

— Vous êtes dans la lune, fut sa réplique.

— Un peu, oui, mais c'est par distraction. Je n'ai pas voulu vous achaler. Je ne sais pas trop ce qui m'a pris, j'étais comme au cinéma. Je filmais dans ma tête sans trop savoir. Je vous demande pardon.

Juliette a souri. J'ai su son nom trois jours plus tard parce qu'on s'est croisé, rue Saint-Denis. Elle a souri et elle m'a expliqué la situation. Il y a en effet des fatigants qui viennent surtout pour les filles, mais moi je n'avais pas l'air colleux et j'étais à part. Il paraîtrait, je l'ai su par la suite, que j'ai un autre genre, un peu spécial, pas du tout vedette, un peu artiste mais pas vraiment, l'air d'un homme, je cite Juliette, qui cherche autre chose. C'est le plus beau compliment qu'on m'ait fait. Je cherche autre chose.

Je poursuis l'explication de Juliette. Les autres serveuses avaient remarqué le phénomène, ma présence et mes yeux qui ne la quittaient pas, je cite la Juliette du troisième jour, il ne s'agissait pas, a-t-elle dit, d'un jeu de séduction. Les filles avaient remarqué cette sorte de fascination et s'étaient payé sa tête. Elle était intervenue pour qu'on lui fiche la paix, faire taire les langues moqueuses.

Je parle de Juliette parce que mine de rien cette histoire me trouble. J'ajoute que certains soirs, je trouve le temps long, à lire avec Alice des maximes religieuses, à corriger les devoirs de ma fille, et ensuite on se fait une partie de scrabble s'il n'est pas trop tard. Pour un peu d'exaltation, mais il en résulta chaque fois un morne ennui, j'ai flâné à quelques reprises dans les bars où je ne me sens pas chez moi. Et je vois là des femmes parfois ouvertes comme des huîtres, mais pas toutes, je dis cette vulgarité parce que j'ai feuilleté un magazine super-cochon dans une tabagie, et alors c'était presque de la chirurgie, de la boucherie. Il y a du sexe dans l'air dès qu'on met le pied dans certains lieux prévus à cet effet, et au retour je m'endors immanquablement ou plutôt je reste longtemps éveillé en pensant à des choses érotiques.

Dans de pareils moments, j'ai l'impression d'être encore un adolescent boutonneux pendu au fil de sa guitare. Élise pourrait revenir. Nom d'une pipe! il faudrait que ça se décide. Sinon, j'irai dans le dortoir des grands autobus, je me coucherai à côté de la femme de Modigliani, et alors tous les techniciens du monde devront s'acharner à débarrasser l'œuvre du maître de ce petit avorton de frustration d'homme couché en cuiller à côté d'elle et se réveillant par intermittence sur le flanc des autobus pour crier qu'il est temps que ça cesse et que j'ai besoin d'amour.

Je parasiterai les flancs de la belle jusqu'à ce que ma place enfin soit clairement définie dans une société où je veux jouer mon rôle d'homme à cent pour cent, c'est-à-dire d'homme qui se tient droit comme un sapin à côté de sa femme, la sienne à lui, pas celle d'un autre, pas une enfant d'école comme Juliette, pas une peinture par toute la ville, personne d'autre qu'Élise, Élise d'abord, puis sinon, je recommence à zéro, je me tiendrai seul, pour mûrir, je n'irai pas à la pêche, n'entreprendrai rien pour une étoile filante au petit matin, mais progressivement je m'ouvrirai à ce qui est possible. La vie n'a pas de sens autrement. Il faut une femme. Un serpent. L'arbre du bien et du mal, puis un péché originel éclatant, ayant pour conséquence le pain gagné à la sueur de ton front, comme il est écrit dans la Bible.

Dans un essai ultérieur, j'aimerais expliquer des choses sur l'art. La photographie ce n'est pas rien, mais elle est souvent trop proche du contenu. La photographie d'une femme nue est souvent plus proche de la femme nue que de la photographie même. Mais la toile de Modigliani est d'abord une toile pour qui la regarde, c'est la raison pour laquelle techniquement parlant je ne peux faire mine d'étreindre en cuiller cette femme qui n'est qu'une image, et non pas une femme prise en charge par un appareil très fidèle à ses moindres aspects physiques. En d'autres termes, l'image photographique est moins une image que la peinture qui, même si on la photographie ensuite, demeure dans son essence une image sortie tout droit de l'esprit, à moins d'être hyperréaliste, ce qui à mon sens relève de la photographie et constitue une aberration dont l'histoire de l'art ne s'est pas encore tout à fait remise. Comme en pédagogie où souvent on procède ainsi, je donnerai l'exemple du baiser que je peux donner à Madonna sur une photo truquée, et il me serait même possible de faire l'amour avec elle sans aucune difficulté.

Je montrerai dans cet essai que les gens disent que c'est beau quand ce qui est représenté l'est, mais qu'ils ont, règle générale, beaucoup de difficulté à apprécier une toile qui donne à voir quelque chose de laid, alors que la toile est très belle en soi, très forte sur le plan artistique. Ainsi, convient-il de donner au contenu une place moins considérable dans l'appréciation des choses qui relèvent de l'art. Un film n'est pas beau parce que l'actrice est belle, n'est pas beau que parce que l'histoire est touchante, mais aussi et surtout pour des motifs à proprement parler artistiques.

La place qu'on accorde au contenu est énorme à l'heure actuelle. Et les snobs n'échappent pas au phénomène. Il faudrait ici évoquer le culte de l'héroïsme, plus haut développé, car il prévaut dans le champ de l'imaginaire même chez les marginaux: extraordinaire, unique, grandeur, rareté.

Pour peu, on verrait les gens les plus in s'extasier devant trois boules de prophétie. Je fais référence au conte populaire que me racontait mon oncle Arthur quand j'étais petit. Il travaille à l'atelier de papa où je range mon matériel. Quand il n'en pourra plus, je mettrai à la porte l'homme qui travaille avec lui, on fermera boutique et je vendrai la bâtisse.

J'ai dit les boules de prophétie. Il s'agissait de crottes. Si tu fais comme si tes excréments étaient rares, et le Ti-Jean du conte le prétendait, qui les avait frottées l'une contre l'autre, bien polies, mais se gardant bien toutefois de spécifier leur véritable nature, et les exhibant en faisant mine d'hésiter à montrer pareil trésor, si tu joues ce jeu, tu peux facilement berner n'importe qui. La rareté de l'or lui confère sa valeur. Le cardinal est un bel oiseau. Parce qu'il est rouge? Oui, en partie, mais ça n'explique pas tout. Le cardinal serait moins apprécié que le moineau domestique si le moineau montréalais devenait aussi rare que l'autre et si du coup le cardinal prenait sa place. Du temps où sur l'île on n'en comptait que quelques centaines, les goélands attiraient nos regards. Il en va de même avec les beaux-arts.

13

Très certainement l'oubli est improbable, je veux dire l'oubli de ce qui a été plus que notre chair et notre âme. Pour continuer comme si de rien n'était, il nous faudrait la froidure du marbre; et plus il y a de pages de calendrier qui tombent de notre arbre, plus ça fait de jours, de semaines et de mois, et ce seront bientôt des années, plus tu penses que c'est derrière, plus tu fais comme si...

Tu sors la photo de ton portefeuille, un enfant te sourit, qui a tout juste dix ans, qui était ce que tu aimais le plus au monde, mais ce n'est que du papier glacé, n'ayant pas plus de réalité que la reine des billets que tu viens de retirer du guichet automatique, c'est, comme dit Epictète, l'équivalent d'un lavabo ou d'une vulgaire paire de pantoufles, ça faisait partie de toi, ça s'est détaché, tu es un apprenti philosophe empêtré dans le marbre de ta bonne volonté, parce que tu tiens à t'en sortir, et tu arbores un air d'aller guilleret afin de convaincre le monde entier, mais tu portes secrètement des œillères anti-vertige pour ne pas tomber trop souvent sur de mauvais souvenirs. Je dis mauvais, parce que leur douceur nous tenaille.

Parfois on rencontre des enfants qu'il a bien connus, qui venaient jouer à la maison avec lui, qui sont plus grands qu'avant. On voudrait les garder près de soi plus longtemps, c'est qu'ils ont en quelque sorte conservé une part de lui. On voudrait leur demander d'appeler à la maison afin d'entendre une voix qui dirait: «Mathieu s'il vous plaît.» Tu prendrais des nouvelles d'eux. Ils sont tellement gentils, de la gentillesse qui aurait aussi été la sienne, mais ils sont mal à l'aise, parce que tu les aimes trop d'être un peu lui que tu perçois à travers eux, alors il vaut mieux ne pas insister, laisse-le repartir. Le petit ami monte dans la voiture de son père qui t'adresse un salut sympathique, et tu restes sur le trottoir, triste comme la chienne à Jacques, mais content d'avoir agi correctement, strict observateur des recommandations d'Épictète.

Il est mort depuis deux ans. Un jour, tu iras le rejoindre. Même si c'est parfois très beau et malgré l'amour que tu éprouves pour ceux qui restent, tu as hâte d'assister à la naissance de ce jour où ta vie prendra fin. C'est plus fort que nous, cette envie qu'on a d'en finir. On a beau recevoir des soins, penser à consulter à nouveau le docteur qui comprend tout, qui a tout vu, tout entendu, qui reçoit chaque jour des types comme nous, des comme lui aussi; on a beau faire, nous sommes bien fatigués parfois, fatigués de jouer le rôle du grand garçon qui ne pleure plus, mais dont la mère est morte il y a si longtemps; et tout le monde meurt tout le temps.

Tu connais le vide, le désert et la soif. Depuis que tu es haut comme ça tu connais la chanson, et elle est d'une tristesse infinie, alors quand l'enfant n'est plus là pour de bon, quand la prunelle de ses yeux, quand la route et son soleil qui reluisait au bout, quand tout a disparu et s'est jeté dans le gouffre sans fond, tu sais alors que ce vide n'est pas encore le vide, mais un vide qui préludait à toute une série d'ennuis que tu attribues à tort ou à raison à tes faits et gestes, tu n'as pas fini de te jeter la première pierre, tu as le sentiment d'avoir tout détruit, même la tristesse des autres, tu as gâché la tristesse des autres, ton deuil portait ombrage au deuil des gens que tu aimais.

Où donc était l'erreur? Quand cela a-t-il commencé? Ça, personne ne le sait, c'est comme ça, on ne peut pas dire grand-chose, on s'en tient à l'essentiel, on souhaite la bonne nuit à ceux qu'on aime, on fait une petite prière, et je te demande Mathieu d'aller voir ta mère, dis-lui que ça te fatigue de voyager de l'un à l'autre, de faire la navette comme ça, qu'il faudrait qu'elle nous revienne, pour que nos souvenirs se reprennent par la main, pour que nos jours se fiancent et se marient à nouveau. Dis-lui que je l'aime, qu'elle peut croire l'incroyable, que je l'aime avec sa tristesse et malgré sa tristesse, que j'ai des soleils pour sécher ses larmes. Explique-lui que les hommes sont au départ assez peu capables d'amour mais qu'il leur advient en cours de route des sortes de révélations et qu'ils se mettent alors à grandir et à s'ouvrir. Témoigne de ma récente mutation. Dis-lui de ne rien craindre, montre-lui les peaux de mes métamorphoses, prouve-lui dans ses rêves que je suis en train de devenir cet homme qu'elle attendait, le sien, rien de plus, rien de moins, mais qui se tient debout. Cours vite lui dire que je l'aime. Je t'embrasse. Bonne nuit.

14

Cahier, voici une autre divagation où je passerai à nouveau à côté de l'essentiel. Le niais s'accable. La vraie confrontation n'aura pas lieu, peut-être jamais. Au fond, j'ai refusé il y a longtemps d'entreprendre le véritable travail, j'ai pris le mauvais taureau par ses fausses cornes, je n'ai pas cru que les oiseaux n'ont pas à se préoccuper du lendemain, je suis devenu un artisan par fausse humilité, j'ai choisi les plates-bandes de mon père et j'ai confié à la belle Élise le soin d'enjoliver notre existence et de chanter les douleurs du monde, que sa musique soit l'art et nous élève à la beauté, me dispensant même de l'idée de Dieu dont je ne savais trop quoi faire.

J'ai abandonné l'héritage offert par la petite enseignante chenue du collège Saint-Laurent. Comme homme, j'ai choisi d'être un drôle de moineau, très en dessous, et qui n'a pas encore pris son envol, car il y a un rendez-vous, une heure où enfin ce qui devait être advient, si et seulement si on a su faire: telle est ma pensée.

Mais la pensée me fait justement cruellement défaut, alors que cette entreprise devait la favoriser, or je vois bien que ça tarde, et comment pourrait-il en être autrement quand je passe mes jours à courir à droite et à gauche pour trouver de l'ouvrage, répondre au téléphone, faire des soumissions, correspondre, payer mes dettes, porter mon camion au garage, sans parler des saunas avec ou sans la Lune ou autres zigotos et avatars d'occasion? Mon idée, c'était la révolution personnelle dont résulterait la phase d'harmonie allant de mon intériorité à celle de tout un chacun en passant par Élise d'abord.

Mais Élise n'entend pas ce que je dis. Elle trouve que je manque de réalisme, l'idéalisme n'a pas bonne presse de nos jours, ce n'est pas précisément son propos, mais chose certaine elle veut l'amour et non pas cette sauce d'idées, cette philo de basse-cour que je lui propose. Tout se passe comme si je cherchais à la sortir d'un univers dont je suis exclu, alors qu'elle n'y serait plus, étant sortie depuis belle lurette de cette torpeur qui aurait été moins la sienne que la mienne, car ce n'est pas elle mais moi qui ai plongé vingt mille lieues sous les mers, dans la bière au double sens du terme, refusant de manger, ayant des crampes, proférant sans fin des prières mentales où Mathieu s'installait à côté de moi sans que personne ne puisse descendre en bas, Élise m'accusant d'être déménagé chez Alice, de m'être réfugié sous ses jupes, alors elle est partie et tout ce que je dis pour qu'elle me revienne ce ne serait pas de l'amour, je le pense parfois, mais de la philosophie, du stoïcisme genre vogue la galère, c'est la vie, reviens parce qu'il fallait rester, c'est dans l'ordre des choses, ainsi de suite, c'est mieux pour Véronique, Alice est vieille, elle t'aime aussi, sans toi ce n'est pas comme avant et puis je ne veux pas faire le coq à la Brûlerie, déjà que Juliette n'est pas une poule, que la Lune m'a dit que j'en étais une mouillée, sans mentionner non plus que ma philosophie à l'endroit de l'amour, dans le sens où ce mot est galvaudé, c'est que ce n'est que de la fiction, une sorte de fixation, une production de l'imagination sur grand écran, qu'on passe d'abord par là et qu'ensuite commence le sérieux, c'est-à-dire la vie qui va de tous bords tous côtés, pas facile, quelque chose au jour le jour, compte tenu de l'horreur et de la beauté du monde, de la haine et de l'amour qui nous lient, c'est ce que je pense.

Je pense aussi que j'ai un malaise de fond, une sorte de quelque chose en moi qui ne tourne pas rond, et que si Élise est partie c'est pour sauver sa peau. Parce que même si je suis sorti de l'aquarium, même si j'ai repris le travail à cent pour cent, il reste que j'ai peu d'amis, qu'à ses yeux les retrouvailles avec la Lune c'est retomber en enfance, et elle n'a pas tout à fait tort, on s'amuse ensemble comme des petits fous, sauf récemment où son regard est voilé d'inquiétudes, mais ça passera, c'est dû au fait qu'il est encore accroché à ses vieilles habitudes, ça lui passera.

De la Lune et moi on s'est retrouvés à peu près au même point; à serpents et échelles on s'est retrouvés en bas, avec pas mal de serpents à notre actif et fort peu d'échelles en perspective. Ce n'est pas toujours rose. Il faut vouloir, d'une volonté de fer, genre prise des cornes du taureau à deux mains et ne pas lâcher, d'où cet essai sur moi-même: par conséquent, pour tout ce que je lui dois, il convient de saluer mentalement mon cher docteur, Épictète aussi et d'autres philosophes à venir puisque ce matin il m'en est venu un autre, je ne sais pas écrire son nom: Chopine Aouère, Choppinghour, enfin je consulterai le dictionnaire d'ici peu.

Je devais quitter la ville aux petites heures, un chantier à Valleyfield. Nous écoutons depuis toujours le MF de Radio-Canada, c'est une vieille habitude. Très tôt, on lisait ce matin des extraits d'un de ses livres sur la sagesse, ce qui va dans le sens du travail d'Épictète et du mien.

On sait que je veux devenir un homme à part entière, qui peut réfléchir, peser le pour et le contre, et non plus être une marionnette (comment ne pas songer sans frissonner à mari honnête?) qui entre deux feux hésite entre la chèvre et le chou, sacrifiant les deux par peur de perdre et l'un et l'autre, ce qu'il veut acquérir, ce qu'il ne veut pas perdre. Et ça se traduit souvent par l'aventure où le mâle fait piètre figure, et tout le monde trompe tout le monde, ce sont des histoires d'une tristesse lamentable. Ou alors on se contente de vulgaires substituts, par exemple du voyeurisme, ce dont je suis peu fier, étant contre la pornographie, parce que je suis pour le vrai sexe, réellement vécu, en triomphe et non pas à la sauvette.

D'autre part, nous ne saurions taire le pôle maman perdue et retrouvée chez notre compagne tendrement célébrée. Chère Élise, perdue elle-même, et alors je n'ai plus de famille qu'Alice et ma fille qui grandit et marche vers la porte.

Je crois qu'Élise voit juste et qu'elle se dit que c'est une histoire classique sur fond d'époque actuelle, une simple histoire où il s'agit pour un homme qui s'est égaré, mais il ne s'était fixé aucun point d'horizon à atteindre, il ne s'est donc pas perdu en route, mais il n'y a plus lieu pour lui de se croire nulle part chez lui, alors il lui faut combler le vide, il habite au cœur du désert et personne ne vient à sa rencontre, et il ne reconnaît plus personne, ses yeux ne perçoivent plus la lumière dans les yeux des lépreux qui viennent vers lui, miroirs de lui-même, et nous sommes les uns aux autres des guides qui s'ignorent, des aveugles qui conduiraient d'autres aveugles dans une forêt cachée par un seul arbre.

Élise me dit que j'ai atteint l'âge de la paresse, que j'ai peur de partir à l'aventure, et comme pour me pousser au-delà de ma réserve, elle me parle de ma ligne, de ce ventre que j'ai maintenant, de mes cheveux plutôt gris, mais pourrait-on leur attribuer ma nouvelle timidité? Élise se dit sans doute que mon amour pour elle est une histoire de vieille robe de chambre, de vieilles pantoufles, ce en quoi elle n'a pas tout à fait tort. Pourrait-il en être autrement? et quel mal y a-t-il à aimer qui on a déjà aimé? Pense-t-elle que cela puisse ressembler encore au feu dévorant de nos vingt ans? Avec tout ce que ça comporte de mirages, l'autre n'étant pas une personne mais une image, un genre de personnage de roman qu'on s'invente dans la pièce qu'on se joue, et qui est une pièce classique, où les rôles sont interchangeables et les acteurs Monsieur et Madame Tout-le-Monde.

Moi, je lui dis plutôt: Regarde, ce ne sont pas des hallucinations, il s'agit de moi et de toi, de notre histoire, avec ses belles heures, hauts et bas, temps morts et forts, promesses de fleurs et fruits tombés parmi les feuilles mortes. Deux enfants, des souvenirs heureux, la pire des tragédies qui soit, un ou deux actes de vaudeville, galanteries côté jardin, coups bas dessous la ceinture côté cour. Je ne te demande même pas pardon. Mais sache que vieillesse qui s'en vient saura profiter de ce que jeunesse ignorante lui enseigna. Je ne dirais plus aujourd'hui les mots qui t'ont blessée. Je saurai faire la part des sirènes et des scintillements, puis te réserver le plus clair de mon temps, ma main doucement posée sur ta nuque, où sont tes jolis petits cheveux, cette délicatesse de toi que je veux retrouver.

15

Je chanterai un jour l'hymne à la vie, telle qu'elle est, ceci étant, cela n'étant pas, avec ce qui doit et peut changer, avec la lourdeur des regrets, l'imbécillité relative, la vacuité. Telle qu'elle est, je chanterai ses splendeurs et ses misères, moi, père de Véronique, homme de saunas, simple mortel comme Socrate, nullement vedette à l'instar de certains, ou d'autres, moins chanceux, qui tentèrent le sort, mais ce dernier leur fit son pied de nez, et j'ai parlé de mon ami qui se prend pour le Beatle que moi aussi je préférais, or le temps avait passé, j'évoluai, délaissant l'ami, reniant l'idole. Cette dernière connut sa fin tragiquement, puis l'ami d'abandon me revint. Il rapportait dans ses bagages toute une part de mon enfance. J'ouvre ici une valise.

En sixième année, j'ai eu les oreillons. C'était l'hiver, un peu après Noël. Alice est venue me garder avec plus de régularité, et finalement elle est restée pour de bon, et non plus occasionnellement. En réalité je l'appelle ma tante, mais les enfants, Math et Véro, l'appelaient Alice, si bien que si je dis à Véro quelque chose au sujet de ma tante, je parle plutôt d'Alice.

J'avais les oreillons et je souffrais le saint martyre canadien. Le docteur est venu. La maladie quand elle frappe fait de nous un héros, on est au centre, mis en vedette, les autres nous servent. On peut penser qu'ils nous aiment.

J'avais perdu ma mère, mon père travaillait fort, il a toujours travaillé très fort. Alors j'ai eu droit à une deuxième mère. Elle a été d'une gentillesse incomparable, et quand j'ai pris du mieux, sa gentillesse n'a pas pris fin. Elle avait toujours été très aimable. C'était ma tante préférée. Connaissant ma récente admiration pour eux, elle m'offrit ce magazine consacré entièrement aux Beatles, et cela m'a comblé parce que c'était le commencement de leur invasion et j'étais durement touché par la contagion. J'étais le plus ému de leurs admirateurs, le plus attentif et le plus fidèle.

Mon père travaillait beaucoup et revenait souvent très tard. Aussi, avant Alice, me fallait-il aller chez notre voisine qui avait des enfants plus âgés, et même chez une autre que je n'aimais pas et qui souriait à mon père avec des petits airs de me le voler à jamais quand c'était tout ce qui me restait. J'étais pas mal seul au monde après le départ de maman, aussi quand les Beatles sont arrivés, ai-je eu du coup quatre amis sympathiques et enjoués.

Le magazine contenait plusieurs photos couleurs. Ainsi, j'ai appris la vraie couleur de leurs cheveux, leur date de naissance et tout le reste. Il fallait en préférer un. Le mien a tout de suite été Lennon. J'avais douze ou treize ans, il était né douze années avant moi, le 9 octobre 1940, si je me souviens bien. Malade, souffrant, mais heureux d'être en vacances, tout le jour je faisais tourner leur microsillon, je parle du premier; sur la pochette leurs quatre visages surgissaient de l'ombre qui les avait précédés. Je fixais des yeux leur regard et dévorais toutes les photos. Je ne comprenais pas pourquoi les journaux ne parlaient pas davantage d'eux. Il me semblait qu'une nouvelle parlant des Beatles devait primer sur toute autre chose. Même à la télé, où on dispose de moyens formidables, il se passait des semaines sans qu'on ne leur accordât une seule manchette, cela dépassait mon entendement.

Un an plus tard, je suis inscrit au collège. J'y rencontre Jean de la Lune. Nous n'avons pas immédiatement trouvé ce nom.

Je peux dire que j'ai eu un seul ami dans ma vie, un seul véritable ami, il s'agit de lui, un gars qui a trop sniffé, mais moi jamais, un gars qui commence à capoter, que plus personne ne veut engager pour des galas, des téléthons et autres shows du genre, un gars qui pourtant a joué sur des disques, un accompagnateur qui gagnait bien sa vie mais qui s'est perdu pas juste à cause des drogues mais surtout à cause d'elles. Sans omettre l'épisode que j'ai raconté l'autre fois, cette imitation dangereuse, ensorcelée, qui m'a fait si peur, et que j'avais d'abord prise pour une imitation réussie, mais qui avait tellement inquiété Jean que ça m'avait gagné, pensant que c'est peut-être occulte alors que je suis loin d'être poisson par rapport au surnaturel. Or de la Lune me dit que ça se tasse. Il m'a peut-être joué un tour et il continue dans ce sens.

Dans ma vie, par ordre chronologique, j'aurai donc aimé: une mère auréolée par sa mort et ses qualités de femme, la voici installée sur un piédestal, lui ayant mentalement érigé une sorte de monument commémoratif. Puis un père, grâce à sa généreuse compréhension distante et bienveillante. Ensuite cet ami, le seul, mais je viens d'oublier Alice, j'aurais tant à dire à son sujet! plusieurs points d'exclamation!!! un gros merci. Et maintenant, comme une apparition, encore aujourd'hui le sentiment demeure pur et intact, une jeune femme devenue femme dans mes bras et avec qui je suis presque devenu un homme, ça ne va pas tarder. J'ai nommé Élise, et maintenant mes enfants. Je n'ai oublié personne, mais j'ai oublié un personnage, le plus important de tous.

Mon amour le plus désespéré, mais j'ignorais à quel point; mon amour le plus pauvre, celui de la plus grande solitude, celui qui dit l'ampleur du gouffre de mon existence d'alors, et de maintenant puisque notre vie actuelle résulte de celle qu'on a eue; si je pense à tous ceux que j'ai aimés, l'amour qui me rend le plus triste, parce qu'il montre le plus cruellement que j'étais perdu de longue date, c'est celui que j'ai eu pour John Lennon. C'est un amour qui n'a pas duré longtemps, mais c'est celui qui m'a touché le plus profondément, c'était un amour de l'enfance, le plus purement égoïste, fragilement projeté au-dessus de l'abîme, un pont de lianes qui allait de ma petite solitude à celui que j'allais devenir, car plus tard je serais John Lennon ou je ne serais rien.

Cette folie servait sans doute à tenir la mort à distance. J'étais loin de la réalité, je voyais tout à travers le kaléidoscope des Beatles, j'étais un des leurs. Lennon me donnait des airs, une chevelure, une démarche, le sens de l'humour, bref, une manière d'être: je le devenais peu à peu. Je comprends aujourd'hui la gravité de tout ça.

Le Beatle que j'ai aimé va du Beatle qui arrive à New York pour le *Ed Sullivan Show,* j'imagine à l'époque de mes oreillons, au Beatle d'avant les hippies, détestable génération éprise d'illusions, moi le premier.

Je comprends cet amour pour Lennon, en fait un amour pour moi, afin de sauver ma peau. Sa voix était celle de ma détresse et je la reconnais entre mille. Parfois, cette voix surgit à nouveau, plus intense qu'à l'époque, parce qu'à l'époque elle servait à cacher la détresse. Au fond, je l'ai aimé, pas lui, mais donc moi à travers lui, ayant par lui, dans ma tête fêlée, la possibilité d'échapper à cette horreur, quand le monde adulte vous ouvre ses portes, et ils appellent ça la réalité mais ce seront des offres d'emploi, des impôts, des banques et des commerces.

J'étais seul, et encore aujourd'hui quand j'entends «Help» ou «Nowhere Man», c'est cette solitude qui se recompose. Tout le passé me remonte à la mémoire et je me rends compte qu'Élise en me rencontrant s'est liée à un jeune homme qui avait connu la mort de près, parce qu'il n'avait pas eu d'identité propre, mais Dieu merci, il existait encore parce qu'il s'était un jour pris pour un autre.

En conclusion, je puis dire que mon héros était le produit de mon imagination et qu'en quelque sorte j'étais le sien. J'ajoute que c'est grâce à mon imagination si je suis encore en vie, mais que paradoxalement on peut se demander si un autre modèle n'aurait pas été préférable.

Quand j'ai rencontré ma femme, j'ai laissé tomber Jean de la Lune et notre idole que je négligeais depuis longtemps. Avant qu'il ne soit assassiné il ne pesait pas lourd dans ma réalité ni dans mon imagination. Côté musique je préférais le répertoire d'Élise, Bob Dylan et Brassens. Je croyais en avoir fini avec Lennon, mais sa mort l'a ressuscité. J'ai acheté ses disques, ses plus récents et d'autres moins réussis que je n'avais pas à l'époque jugé bon de me procurer.

Du temps a passé. J'ai vu *Imagine* au cinéma. Je suis sorti de la salle en pleurant. Élise venait de me quitter, mais mon enfance non. Jamais je n'aurai d'autre enfance, et même quand je serai vraiment un homme, il y aura eu cette enfance, avec son immense fond de tristesse, la beauté de la jeunesse qui se hisse au-dessus, et puis ses espérances la plupart du temps seront déçues, mais cela importe peu, ce sont les règles du jeu et il en vaut la chandelle.

16

Alors que je suis au milieu de ma vie, il y a en moi un lac profond, qui est sous la terre et qui est calme et tranquille. Je ne sais pas exactement pourquoi il me vient cette traduction du sentiment que j'ai et je ne comprends pas tout à fait comment cette sensation de bonheur peut m'arriver, alors que je devrais m'inquiéter, puisque je ne sais pas comment les choses pourront un jour s'arranger, même si ce n'est pas si mal.

Est-ce que cela va revenir comme c'était entre Élise et moi? Est-ce qu'Alice peut encore vivre deux ou trois ans, quatre, cinq? Est-ce que ma fille ne va pas devenir aussi folle que je l'ai été?

Je suis presque aussi vieux que papa, aussi loin, aussi distrait, et je m'endors comme lui s'endormait, en me demandant de jouer mes petits airs, et je fais de même avec ma fille, couché comme lui sur le même divan, je ferme les yeux et elle joue ses études tandis qu'Alice tremblote tout près de nous.

Souvent Jean de la Lune soupe avec nous et c'est ensuite l'heure des exercices de Véronique. Elle s'installe au clavier et de la Lune est crevé mort, je le suis tout autant parce qu'on a travaillé comme des forçats. On t'écoute Véronique et je vois que j'ai une grande fille qui devine tout, parce que tu as remarqué la fatigue de Jean et son inquiétude grandissante. Tu m'as dit qu'il a un drôle de regard, pas perdu, mais plutôt de chien nerveux, qui ne sait plus où il est, ni à quel saint se vouer. Je n'ai pas su expliquer ça, mais c'est une affaire de fou, parce qu'il a beau dire que ce n'est rien, qu'on avait trop fumé, je sais qu'il ment quand il dit que c'est fini, je suis certain que ça s'est reproduit.

Je vois bien qu'il maigrit à vue d'œil. Je l'ai entendu parler en anglais tout seul dans le sauna, et répondre à des questions, dire qu'il ne comprenait pas pourquoi et qu'il ne saurait pas faire; je l'ai vu ne pas m'entendre quand j'ai interrompu son soliloque. Il me semble que désormais je n'ai pas le droit de le quitter des yeux. Et pourtant ce soir je suis tranquille. Même si Élise ne m'a pas encore répondu pour l'opéra, parce que je lui ai laissé un message sur son répondeur.

Je suis calme, sur le lac pas une seule ride, rien ne bouge. En moi, une paix nouvelle, une seule petite pensée, à savoir qu'on oublie, on ne retient pas cette vérité toute simple, une clef. Les initiés nous ont communiqué l'essentiel, une parole multipliée comme le pain, mais que nul n'entend; une parole comme des poissons offerts à la foule, mais la foule s'est dispersée, les poissons dans les paniers se sont décomposés.

Ils nous ont dit de rester tranquilles et de vivre dans la simplicité. Alors je vais écouter leur conseil, je vais tenter de vivre. Sans chercher à retenir les gens de force. Sans prendre quiconque en otage. Alice ira rejoindre mon père, ma mère, mon fils, c'est la vie, c'est la philosophie, c'est l'ignorance de l'homme. Je vois mal comment aller plus loin dans la compréhension du mystère. Les initiés comme Jésus nous recommandent la sagesse.

J'ai réussi à mettre la main sur un ouvrage portant sur Schopenhauer. L'autre jour, je ne savais pas écrire son nom, mais ce soir je sais des choses sur son compte qui me montrent à quel point je suis naïf, parce que je croyais que la sagesse concernait autant l'action que la pensée. Or je vois que la théorie réclame la sagesse mais que quelque chose vient troubler la pratique, parce que très souvent il y a entre l'idée et sa mise en application une sorte de brouillage, une kyrielle de contradictions que cherche à nier la pensée, mais que l'action ne fait que confirmer.

Le philosophe a écrit: «Dans notre hémisphère monogame, se marier, c'est perdre la moitié de ses droits et doubler ses devoirs.»

Il y a de quoi réfléchir.

Et encore: «Ni aimer, ni haïr, c'est la moitié de la sagesse humaine: ne rien dire et ne rien croire l'autre moitié. Mais avec quel plaisir on tourne le dos à un monde qui exige une pareille sagesse.»

Cette dernière pensée fait écho à ce que je déclarais tout à l'heure sur le rapport inversement proportionnel de la pensée et de l'action. Il me semble qu'on peut difficilement faire correspondre les deux.

Je trouve la première phrase de la citation pas mal extraordinaire. Elle dit où j'en suis. Pour être tout à fait sage il ne me reste plus qu'à me taire et à perdre la foi. Or j'ai fait des pas sur la voie, déjà je n'aime plus comme naguère de cette sorte d'amour qui tue par la force de la haine qui s'y retrouve en concentration assez élevée, et puis je ne déteste plus personne. C'est ce que je veux dire à Élise, de ne pas avoir peur de moi, puisque je ne lui ferai plus jamais mal, étant donné que je n'entretiens plus d'illusions sur le compte de l'amour, et j'ajoute, étant sorti de l'atmosphère détestable que la frustration qui en découle finit par engendrer. Quant à la foi, c'est un bien grand mot et une chose encore plus grande. Elle est très particulière. On croit l'avoir, rien n'est moins certain. On s'imagine incroyant, on ne l'est pas toujours. Nous ne savons pas trop où nous en sommes avec elle.

Avec la philosophie, c'est un peu plus simple. J'ai lu des pages consacrées à la métaphysique amoureuse. Je suis totalement d'accord. Mon livre qui porte sur la vie et l'œuvre de ce grand philosophe donne aussi des extraits de ses aphorismes sur la sagesse, entendus par ailleurs à l'émission du matin qui précède l'hymne national. Mais c'est la vie de l'homme qui m'a le plus instruit et confirmé dans ma pensée de la contradiction.

Schopenhauer a vécu avec des chiens, non pas dans le sens métaphorique du terme, ce qui n'aurait rien d'exceptionnel, il ne s'est pas marié. A-t-il eu des femmes, à titre de maîtresses ou d'amantes? Au moins a-t-il rendu visite à celles qui logaient dans des endroits prévus à cet effet? Et même, ce serait peu, je cherche une véritable relation, et j'ai dit que je m'oppose à la pornographie sous prétexte qu'elle interdit la sexualité, je parle du cinéma dont c'est un des fondements et une fin en soi, mais débouchant sur la frustration, comment étreindre un écran?

Ma pensée, c'est qu'une putain, et Jésus aura agi de manière exemplaire, qu'une putain n'est pas une femme mais un personnage dont elle joue le rôle, et la femme en elle existe mais nul ne la connaît autrement que dans le sens biblique du terme. J'exige une vraie rencontre, qui par conséquent se vive dans l'amour, non pas celui de l'illusion mais au-delà, celui qui ouvre.

J'ai lu que ce chien s'appelait Atma, qu'Arthur avait peur dans les hôtels, «il apporte son verre par crainte de contagion et habite toujours une chambre au premier étage pour pouvoir se sauver en cas d'incendie». Bref, je me dis que la pensée, ici l'effort de toute une «vie de célibataire et de rentier», que la philosophie propose un devenir sage, mais que la sagesse est un but que ce philosophe a cherché à atteindre comme l'âne la nourriture suspendue devant lui au bout d'un fil attaché à une gaule. J'en déduis qu'il s'agit là de l'objet d'un désir qui réunit tous les désirs contradictoires de l'homme en une même gerbe pour le faire aller dans le sens de ce que nous nommons le bien, alors que le mal serait tout le mal qu'il se donne pour lutter contre, il ne peut être oblitéré, c'est «le verre d'eau par crainte de contagion», le chien à la place de la femme, ses chicanes avec sa mère et sa sœur, puis finalement, victorieuse, «une congestion pulmonaire se déclare qui l'emporte sans souffrance».

Ceux que j'aime, mon fils par-dessus mon épaule, ma chère Véronique si je ne mets pas le feu à ces confessions, et toi Élise si on se raccommode, vous saurez que j'aurai tenté de concilier le désordre de ma vie passée avec la lueur d'amour qui brille dans les yeux des saints qui sont les seuls héros que j'admire, car leur action dépasse leur pensée: ils ne disent rien, mais ils croient que leur modeste contribution multiplie le pain de vie.

Bonne nuit et lac limpide aux âmes troublées.

17

Je ne sais pas ce qu'est le bonheur, mais je sais que j'ai déjà été heureux. Quand je l'étais je l'ignorais, et c'était un bonheur que je devais en partie à mon aveuglement, en partie aussi à la beauté que nous offre le monde, parfois sur un plateau d'argent. La beauté nous éblouit quand on est jeune et insouciant, époque où l'espoir va de soi et ne porte même pas ce nom, tant il est naturel de mordre dans les fruits à belles dents.

Élise a été le plus beau de tous les fruits; malgré l'usure de la métaphore je tiens à le spécifier, car j'ai des souvenirs magnifiques de sa chair, à plusieurs reprises dans une clairière, la même, et après la naissance de Véronique qui avait à peine six mois, on s'était installé dans l'herbe de l'automne ensoleillé, ayant vue sur le paysage profond, ses montagnes couchées elles aussi à l'horizon, notre bébé dans son couffin, t'en souviens-tu?

Oui, j'ai connu de grandes joies, mais j'étais celui qui cherche à oublier je ne sais quel malheur premier, serait-ce le vide affreux que laisse une morte, irremplaçable? Ce serait peut-être trop simple. Je ne sais pas. Il y avait aussi par après la laideur d'un monde que j'avais d'abord refusé, à l'époque où je serais Picasso ou tel autre, mais certainement pas le premier venu, un commis, un notaire, un facteur ou un homme d'affaires qui joue du coude, plaque dans la bande, encaisse des coups bas, des coupures salariales, calcule sur une petite machine, envoie et reçoit des factures, parce que dans ce bas monde il faut être rusé, plus malin que n'importe qui, alors que moi je préférais les chèvres, et ma préférence ira encore et encore aux chèvres, aux rivières, aux baigneuses de Cézanne, à tous les fruits savoureux de la réalité, aux fruits non pas de l'invention capricieuse des éternels désappointés par ce qui est, mais aux fruits d'un âge où nul ne s'exagère la beauté du monde, n'oblitérant jamais les rues sordides, les décors qui crient, la pourriture dessus et dessous la terre.

Je rêve encore d'un bonheur qui n'aurait plus rien à voir avec la fabulation, d'un bonheur qui serait seulement dû au fait que j'ai pris sur mes épaules ma charge d'homme, le beau et terrible devoir que vivre nous propose.

Quand je lui parlais en ce sens, il n'y a pas si longtemps, Jean de la Lune retenait un fou rire, celui du scepticisme et de la lucidité des gens qui regardant un mur ne voient qu'un mur et nul rapport avec la caverne platonicienne où se meuvent des ombres, sans parler de la foi qui ne va pas de soi.

Dans mon bonheur actuel, il y a le souffle de mon fils que je porte en moi et qui m'élève au-delà de mon petit monde bas et mesquin. Il y a sa présence qui incite à l'amour, à une plus large compréhension. Cette goutte a fait déborder le vase où flottait le souvenir de ma mère qui me hantait avec mon père et sa poissonnerie pleine de merveilles où j'ai failli me noyer par amour filial, car ce mince héritage, comment le laisser s'évaporer, disparaître, bu entièrement par le reste de la vie qui bat à un train d'enfer? Alors, j'ai refusé l'inéluctable, cette disparition massive de tous les êtres chers, c'est pourquoi j'ai parasité leur monde. Il fallait rester avec eux, à côté du vieil homme penché sur son établi, travaillant pour lui, reprenant ses moindres gestes, l'imitation parfaite, le refus de la fossilisation, j'ai scié, varlopé, cloué à qui mieux mieux, avec son frère et leurs discussions le soir avant de fermer boutique, un folklore maintenu vivant jusqu'à maintenant grâce aux portes et fenêtres, alors que partout ailleurs règnent l'aluminium et les technologies de pointe.

J'ai voulu ça parce que tout s'efface, finit par finir, meurt de sa belle mort qui est loin d'être belle. On perd sa mère, son père, même les enfants sont précipités dans la fosse commune du temps. Ça meurt de partout à la fois, la luminosité des souvenirs finalement imite l'agonie des bougies, trois petites lueurs en soubresaut et c'est tout, ainsi vont les amours, les âmes naguère honorées sont trahies sans qu'on sache au juste en quoi consistent les trahisons, à cause de la part du feu, de celle du lion, du feu en nous qui veut toujours brûler, ou serait-ce le lion qui tient férocement à dévorer sa proie, c'est-à-dire la vie, la sienne, telle que rêvée.

Aimai-je un rêve? J'aime encore Élise. La retrouver élargirait ma vie. Autrefois, je croyais le contraire. La vie à deux m'imposait mentalement des garde-fous. J'en tenais compte physiquement. Ma soif d'aventure en prenait pour son rhume, un rhume chronique. Quelque chose de moi au loin, devant mes bras grands ouverts me souriait, et c'était le sourire des femmes.

Aujourd'hui, je regarde Juliette. Je l'ai revue à quelques reprises. Mon sentiment pour elle est un amour de cœur. Je ne demande rien. Elle sait que j'aime Élise d'un amour qui correspond à ce qui m'anime en profondeur. Je m'exprime comme un bâton dans l'eau, tout croche à cause de la réfraction. Je veux dire qu'elle sait que mon choix ne porte pas sur elle, Juliette, mais je la vois encore parce que j'apprécie la féminité de sa présence. Je lui ai dit qu'elle m'apprenait des choses sur la vie, je n'ai apporté aucune précision mais je pense à ce que deviendra ma fille. J'ai la curiosité d'elle. Quand on se quitte, comme l'autre jour, je prends sa tête dans mes mains et j'embrasse son front. Je lui parle de la beauté des chèvres et je l'encourage à partir comme elle le désire pour voir le reste du monde et non pas uniquement l'aquarium de sa seule famille, avec laquelle du reste elle n'entretient que des relations épistolaires ou téléphoniques, à cause de la distance réelle et même psychologique, son père étant plutôt spécial dans le mauvais sens du terme.

Je l'encourage à voyager. Moi, je n'ai pas su, je n'ai pas voulu. Chacun son histoire. Chacun ses freins. De ce côté, j'étais équipé tout ce qu'il y avait de plus sophistiqué, freins à disques et tout le tralala, efficaces depuis la plus haute antiquité; des siècles et des siècles ne sont pas parvenus à user la mécanique de ces freins. J'ai donc beaucoup d'admiration pour ceux et celles qui ont du cœur au ventre. La jeunesse qui n'a pas froid aux yeux m'éblouit. Il y a chez les jeunes beaucoup de grandeur, mais il y a un mais, il y a ce que je sais, ayant passé de jeune à presque chenu, je ne peux en perdre la conscience, il s'agit d'une pensée qui vient de la chute, on ne peut prévenir la chute des gens qu'on aime, ils vont parfois se casser la figure à force de témérité. La grandeur de l'individu vient du mouvement de redressement qui s'ensuit. Comme un boxeur, il se relève et la vie continue. Elle a un goût différent.

C'est comme l'histoire de *Maria Chapdelaine*. Je l'ai relue dans mes temps libres à titre de parent. Il fallait aider ma fille. Quinze ans, on leur donne ça à lire! J'étais furieux. Surtout à cause du travail qu'elle doit faire. Sur les liens entre l'amour, la religion et la nation. Le prof me paraît fou d'imposer un pareil sujet.

Je lisais et m'ennuyais comme la pluie. Une platitude incroyable, lue à dix-sept ans, époque où j'étais con comme la lune. Il me fallait alors un thriller, en caractère typographique aussi gros que la tour Eiffel, des vraies scènes érotiques, un héros comme je serais un jour, pas un paquet de somnifères.

Donc j'ai relu, en pestant au départ, mais sans trop le montrer, parce que mettre des bâtons dans les roues aurait empêché ma fille de croire au bien-fondé de son enseignant.

J'ai dû vieillir, puisque le roman ne possède qu'une seule version. Par conséquent j'ai changé, je m'en réjouis. Tout ça est bien beau et me rejoint dans mes récentes découvertes. Je suis tout à fait du même avis quant à la hiérarchie des choses essentielles qui comptent comme c'est écrit dans le roman. Mais je me dis que c'est trop fort pour une enfant. Quand François meurt, l'héroïne est chassée comme Adam et Ève du paradis que lui laissait entrevoir un si attachant jeune homme. La cruauté choque le lecteur et l'histoire semble se terminer cent pages avant la fin. C'est toute la jeunesse de Maria qui tombe alors, fauchée dans la fleur de l'âge, comme le dit si bien la sagesse populaire. Elle fait une chute. Mais elle se remet debout à cause précisément de la hiérarchie. Elle finit par comprendre qu'il faut faire un choix, trouver dans le possible innombrable de l'existence la place qui doit être la sienne, et nous de même.

La hiérarchie implique ceci conformément à mon principe: Maria appartient au monde, elle en constitue une part, un élément. On fait partie d'un ensemble. On ne peut pas se penser en dehors du tout, on ne peut pas s'en passer sans amputation morale. Il faut trouver sa charge. La folie, c'est d'omettre cette réalité; l'oblitérer, c'est devenir timbré à coup sûr. L'herbe, croit-on, serait plus verte chez le voisin, hallucination pure et simple, effet du rêve qui obnubile l'esprit des prisonniers de l'ego. Paradis mort, l'Eldorado se met à scintiller. Or la vérité c'est que tout ce qui brille n'est pas or. La vérité c'est que le désir fabrique des mirages. Il faut, ai-je dit à ma fille, se méfier de notre imagination fabuleuse. Nous avons étudié les voix que Maria entend à la fin. Je crois avoir entendu des voix similaires, du moins symboliquement, ou plutôt j'ai été sensible à une leçon semblable à celle que proposent les voix à Maria. Il s'agit de ma découverte, magnifiquement bien traduite par l'expression que j'emprunterai au livre dans mes essais: «hiérarchie essentielle des choses qui comptent». Sauf que dans mon cas la découverte ne concerne pas notre race, notre nation, mais l'amour, pas celui de Dieu pour nous ou de nous pour lui, mais celui qu'on retrouve dans l'invitation du Christ, une proposition impensable, la chose la plus incroyable au monde; une voix, la plus improbable qui soit, et qui nous dit: «Aimez-vous les uns les autres.»

Sacré Jésus! Tout un pistolet! Sans mentionner le mal qui ne peut être écarté du revers de la main. J'ai un tas d'exemples. Mais je parlerai ensuite de la morale et de la tradition. Je sens à cet effet qu'il y a anguille sous roche. On ne se débarrasse pas si facilement d'une anguille qu'on a soi-même dérobée à sa propre vue; qui de droit le sait mieux que moi. Peut-être pense-t-il à moi quand passe une annonce de quincaillerie à la télé ou si dans une animalerie il voit des poissons d'outre-mer. En tout cas, il a maintenant d'autres chats à fouetter qui lui montrent en se les cachant d'autres anguilles à peu près identiques aux miennes.

Parlons-en. La proposition de Jésus, le beau geste de la prostituée qu'il bénit, sa chevelure inondant ses pieds d'itinérant. Formidable! J'adhère, je souscris, j'avalise entièrement. Je recherche moi aussi une pureté de cœur, égale à celle du jour.

Mais la vie cruellement dément chacun de mes élans, j'avance pareil à un ange au milieu de la discorde. Or ce n'est qu'un costume; dessous un orignal se profile. Je vois l'homme et la femme main dans la main; au loin un horizon où flotte la ouate des nuages, mais c'est vue de l'esprit. En réalité les anguilles pleuvent çà et là, tombent comme des hallebardes et un âne s'agite dans les brancards, furieux, du parfum plein les narines, hanté par la seule idée qui ne soit pas une idée, mais le principe qui fomente par-dessous, une lave qui remue dans les entrailles de la terre.

Soyons clair, net et précis. Venons-en au fait. J'étais hier à Pointe-Claire. On y fait un sauna. Arrive l'heure du lunch. Je pars chercher des sandwiches pour Jean et moi. Il y a une charcuterie tout près, située juste à côté d'un genre de Nautilus. La fille devait venir de là, je le présume à cause de son ensemble, souliers sport, petites chaussettes roulées bas, collants nouveau style très ajustés, jambes de rêve, chandail du même acabit, rien dans le cou malgré le froid piquant parce que dix pieds à peine séparent les portes, donc je me dis qu'elle avait la tête de l'emploi et tout le reste, sûrement une fille d'aérobie.

J'entre. Je n'ai pas encore dit mon genre ni mon allure. Je porte une casquette et sur la nuque il y a malgré tout un zeste de crinière qui frisotte et me donne une allure plutôt cool. Zeste est trop parcimonieux, ma calvitie est circonscrite, on la retrouvera sur le toit. Mon visage n'est pas aussi banal que celui de n'importe qui, il porte les marques de ma destinée singulière; un homme qui aurait eu un potentiel extraordinaire, mais qui aurait opté pour l'ombre plutôt que la gloire passagère des chanteurs populaires, sauf qu'il n'en est rien, c'est une simple impression dont je ne suis à peu près pas responsable. Néanmoins mes yeux, vifs et pétillants, indiquent dès le prime abord que je suis frais et dispos; quelle que soit l'heure on peut compter sur moi, exception faite de ma période de réclusion dont j'ai déjà parlé, aquarium et déprime, coupure et refus de tout.

Une mâchoire volontariste fait ma secrète fierté. Dès que ma bouche s'ouvre pour un large sourire, ma dentition exemplaire attise les jalousies de mes détracteurs et séduit mes fidèles admirateurs, plutôt trices. Un nez parfaitement droit s'allonge avec confiance au-dessus des problèmes les plus aigus, respire les parfums les plus suaves, et plonge ses narines dans les profondeurs maritimes des amours les plus passionnées que nous offre la vie, oh! saint coquillage! oh! merveilles, splendeurs des nymphes et naïades!

Surtout, mes cinq pieds onze pouces et presque douze, ma carrure et mes manières mi-bum, mi-honnête homme, mes vêtements contrastants sur les chantiers autant qu'à la ville, ma politesse rude et sans froufrou, me donnent un style qui diffère des petits maris de bureau, des avocats délicats et mal élevés, snobs et pressés même en amour, des motards arriérés, des autres quels qu'ils soient, parce que je n'entre dans aucune catégorie, même à la Brûlerie où aucun marginal ne me va à la cheville.

J'ai parlé ainsi pour l'avoir dit une fois pour toutes. Je suis plutôt beau, mais il y a un petit plus dont Élise avouait que c'était ça, surtout ça: le charme. Avec les années je me suis puni, je l'ai remisé au rancart. Mais il arrive que ça remonte à la surface. Je n'ai rien du vrai macho et ne suis pas un séducteur, mais quand il y a une belle fille je ne baisse pas les yeux, ne détourne pas le regard. Donc la voici, et me voilà. Ordinairement je ne dis rien, je toise et retoise comme un qui n'est que de passage.

J'ai une vision des choses de l'amour, on le sait, qui me situe aux antipodes de la cour. Cependant la fille qui sans doute a l'habitude du lieu prend un biscuit et en me regardant joliment dit: «cookie time!» avec un beau sourire, ses cheveux blonds remontés par un peigne et sa nuque où j'aurais volontiers posé de furieux baisers, le fin duvet de ses cheveux m'y invitant.

Et de se promener devant les étals, elle circule entre les clients, parle au boucher; le spectacle valait le coup d'œil. Me voici franchement derrière elle, une croupe telle qu'une théorie de superlatifs n'en donnerait qu'un aperçu infinitésimal. J'insiste: j'admirais à loisir malgré l'énormité de mon allégeance à la cause féministe. D'ordinaire mon genre penche avec sobriété du côté de la discrétion, les yeux et le visage habituellement font mon bonheur. J'apprécie une certaine élégance naturelle, le clinquant me fait fuir, la beauté ostentatoire de même. J'aime que la bonté que je devine l'emporte sur la beauté qui me ravit. Cela me donne foi en la vie.

Or cette fille me semblait quelque peu vulgaire. D'instinct, mon snobisme la rejetait. Elle a dit à une employée que les *peanuts* des biscuits, c'est ce qu'elle préfère. *Peanut* est un mot anglais qui ne m'empêchait cependant pas de détailler son arrière-train, ni le fait qu'il s'agissait plutôt de pacanes. Le tout suscitant l'apparition de mon anguille sous roche. Car, en effet, il s'agit d'un homme qui déclare aimer sa femme. Or le voici dans une charcuterie, il se comporte comme un orignal, l'animal monte en lui, une croupe hors du commun réveille la bête, et il insiste pour le dire: cette fille avait des fesses magnifiques, cinématographiques; la Vénus callipyge en serait morte de jalousie. De telles fesses ne peuvent résulter que d'un don octroyé par la nature, combiné à une volonté de conserver le tout comme dans le formol, entretenu et développé avec discipline grâce à des heures et des heures d'exercices quotidiens.

Quand est venu pour moi le temps de payer, j'ai aussi demandé des biscuits. La fille a fait oh! oh! comme pour approuver mon achat. J'ai plaisanté un peu avec elle et je suis sorti.

L'anecdote a une suite. Ce matin dans mon camion en allant chercher de la Lune, j'étais pareil à Napoléon dans son cercueil, je fais référence à la célèbre chanson, amanché comme un chevreuil, je n'ai pas de dessin à faire. Comme ça, tout simplement, sans mauvaise pensée d'aucune sorte. Je me suis dit que c'était dû à son popotin et maintenant je boucle la boucle: je pense que «Aimez-vous les uns les autres» c'est bien beau, mais je crois que dans la vie il y a des mirages qu'on ne contrôle pas.

P.-S. Je suis finalement allé voir *Eugène Onéguine*, mais avec Alice. Je n'ai rien à ajouter, j'étais triste, c'est tout, Élise ayant décliné l'invitation, gentiment toutefois.

Alice était aux anges. Je ne l'étais qu'à demi. Content de lui faire plaisir, malheureux comme une pierre, et la musique si belle augmentant cette peine.

P.-S.2. J'ai parlé à de la Lune de la hiérarchie des choses essentielles. Bien sûr il se moque de moi, trouve ça vieux jeu. Il parle de mon côté granola, dit que je suis mûr pour une secte, que déjà à l'époque des Cantons et du lait de chèvre j'avais cessé d'être de mon temps. Il m'accuse d'infantilisme intellectuel quand je fais de Jésus le Karl Marx de l'antiquité. Mon rapport aux femmes le sidère. Lui, il lui aurait fait son petit numéro de téléphone et tout le bataclan, allusions, plaisanteries qui biaisent, louvoient, tendancieuses, mentalement se livrent à des attouchements.

Il ne comprend pas et j'ai raison de lui cacher les récents développements avec Juliette. Ça le dépasserait. J'ai dîné avec elle l'autre jour. Il s'agit d'un véritable bain de jouvence. Les femmes enjolivent la vie quand on les approche. Une sorte de parfum flotte dans l'atmosphère. Tout prend la proportion d'un jardin. On sent comme une promesse de félicité, une musique prend naissance au fond de nous. Nos gestes ont une coloration d'intention meilleure, une pacification se laisse entrevoir. Cependant, cette magie finit par s'évanouir, à cause de la réalité, encore plus belle et d'autant plus exigeante qu'elle n'est belle qu'à force d'y tenir vraiment. La fonction d'une femme, chère Élise, je ne crois plus désormais que ce soit de décorer l'espace physique, mental et affectif d'un hurluberlu étroit d'esprit et qui ne vit que de ses seules anguilles sous roche. Je ne l'ai d'ailleurs jamais cru. On dira ce qu'on voudra, que c'est un cliché, dixit de la Lune, mais j'y crois: un homme, une femme, en marche, en travail, et suscitant la joie, non pas dans l'attente que tout leur tombe du ciel. Les découvertes souvent gisent dessous la poussière du temps. Il faut oser tendre l'oreille pour entendre que les Anciens, Épictète et compagnie, nous parlent précisément de notre présent et de notre avenir.

18

Il maigrit, il m'inquiète et il ment.

Je sais que Jean de la Lune dissimule son tourment et qu'il a peur. Il ne faut pas la perspicacité d'un psychologue professionnel pour comprendre ça.

J'ai été témoin d'une scène. Puis l'eau avait passé sous le pont, j'allais oublier tout ça, gagné à ses arguments. Il minimisait, disait que ce n'était rien, laissait croire à une trop grande faculté d'imitation. Mais il en va autrement, je le crains. Je pense que c'est assez grave. Il a beau dire, je l'ai surpris.

Il parlait encore tout seul. Il répondait à des questions. Il ne s'exprimait qu'en anglais, demandait des explications, rouspétant, opposant de farouches résistances, réclamant la paix, déclarant qu'il ne saurait faire ces choses-là.

J'arrivai sur ces entrefaites. Il m'adressa un sourire maladroit. La sueur sur son front ne provenait pas de son ardeur au travail. Ses lèvres tremblotaient. Il passa nerveusement sa main dans sa chevelure.

— À qui parles-tu?

— Je joue, c'est du théâtre, j'improvise.

Alors, pour lui éviter de me prendre pour une valise, je lui ai dit de ne pas s'en faire, qu'on se connaît depuis toujours, qu'il pouvait tout me confier, me parler à cœur ouvert. Il a eu les yeux dans l'eau.

— As-tu peur de quelque chose en particulier?

— Oui, non, c'est vague.

Je l'ai pressé de questions, j'étais aussi doux qu'une infirmière, mais il est resté muet comme une carpe. On a pris une pause, bu du café, puis on n'a plus dit grand-chose. Au bout d'un moment je lui ai demandé si ça lui arrivait souvent.

— De quoi?

— Bien, de parler tout seul.

— Je parle pas tout seul!

— À qui tu parles?

— À personne.

Pas moyen de lui tirer les vers du nez. Mais ça saute aux yeux, il est en train de filer un très mauvais coton, il perd le nord.

Progressivement, comme une plante d'intérieur se détériore, ses feuilles d'abord jaunissant, du brun apparaissant aux extrémités, qui finissent par sécher, puis tombent l'une après l'autre, Jean de la Lune s'étiole. Il aurait fallu que je le revoie un mois plus tard pour que ça me saute aux yeux, contrairement à une plante, à moins d'être aveugle. Mais je saisis tout en perspective cavalière et cela devient clair à présent. Au travail, il ne parvenait pas à maintenir le rythme, souvent distrait, cognant avec parcimonie, sans conviction, responsable d'erreurs qu'un débutant ne répète pas.

Quelque chose le préoccupe. Parfois je me demande si ce ne sont pas ses abus qui en seraient responsables, mais il m'a dit que c'est fini, qu'il ne touche plus à rien et de toute manière je vois mal le rapport, sauf qu'à la longue on finit peut-être par y perdre au change. On voit bien de quoi il s'agit, mais si l'autre fois j'ai halluciné cette identité d'emprunt, vraiment à la limite de la raison, c'est à cause de l'excellence de sa voix à reproduire précisément celle de Lennon. Comme malgré lui, il réussissait à faire plus vrai que vrai. Saura-t-il éviter de retomber dans ses habitudes? Sont-elles la cause réelle de ses troubles actuels?

C'est un garçon qui vit seul. Il a eu bien des blondes et souvent on a pensé que c'était la bonne. La dernière surtout est restée longtemps près de lui. Mais elle était d'un autre monde. Quelque chose en elle attirait de la Lune et le rebutait à la fois. C'était une jeune fille rangée, stable, équilibrée, sobre. Elle l'encourageait à travailler, à cesser de se répandre à droite et à gauche comme il l'avait souvent fait, en acceptant d'accompagner n'importe qui pour des montants dérisoires et dans des conditions lamentables, pourvu qu'il y ait possibilité de se poudrer le nez. Elle l'avait incité à faire des jobs proprement, la tête sur les épaules. Grâce à son influence, il avait pu obtenir des contrats payants qui l'avaient mis presque sur la sellette, je veux dire que les gens du milieu avaient été à même de constater l'étendue et la variété de son talent. Il s'était réellement fait un nom. Les galas, les émissions de fin de soirée, les spectacles des artistes les plus divers portaient sa marque. On croyait qu'il s'était enfin rangé. Tout le monde se trompait.

Cette modeste renommée au sein de la restreinte communauté artistique ne lui suffisait pas. Sa récente sécurité financière allait à la fin l'ennuyer tout autant que sa petite amie, beaucoup trop sage pour un homme chez qui les excentricités jouaient un si grand rôle. Celui d'accompagnateur le laissait forcément dans l'ombre et il devait de plus en plus se plier aux exigences des autres, les considérant souvent comme des exigences d'abord et avant tout liées à des impératifs commerciaux. Mais là n'était pas le problème. Il avait dû quitter ses vieux camarades de beuveries, laisser tomber ses bonnes vieilles habitudes, des soirées entières à raconter des blagues, à courir les filles, à faire la tournée des grands ducs.

À cette époque, je le voyais à l'occasion et trouvais bien charmante sa nouvelle compagne, avec qui du reste Élise s'entendait à merveille. Jean avait pendant deux ou trois ans ressemblé à quelqu'un de normal. Nous pouvions le fréquenter, l'inviter à la maison avec sa blonde, aller au cinéma avec eux. C'était plaisant, plutôt bourgeois. Il était enfin sobre et nous pensions, Élise et moi, que l'amour vient à bout des vices les plus capricieux, les plus dangereux, les plus tenaces.

Mais c'était sans compter avec la gravité du problème, la force de l'habitude, la faiblesse de Jean. Commença la ronde des mensonges. Il lui fallait expliquer à Julie où il avait été, avec qui, inventer des histoires pour expliquer sa fatigue, ses retards aux répétitions, ses rendez-vous manqués avec elle. La drogue était de moins en moins douce, son emprise de plus en plus inexorable. Jean perdait sa vigueur, sa bonne humeur, et les contrats intéressants, naguère nombreux, se firent de plus en plus rares. Sa douce moitié le laissa bientôt à sa solitude. Il profita de sa liberté reconquise pour dépasser la mesure. Ses économies y passèrent. Il accepta divers petits emplois, très rapidement perdus. On le congédiait, ou bien, ayant obtenu suffisamment d'argent pour sa manie, il s'en allait de son propre gré. Je l'abandonnai à mon tour, refusant cette galère et craignant peut-être secrètement de vouloir y monter.

Du temps passa. Il me donnait parfois quelques nouvelles, jamais trop bonnes. Il parlait de cures, d'endroits spécialisés, mais n'entreprenait aucune démarche.

Il fit un retour sur scène. Déplorable, pathétique. Il s'était entouré de types aussi mal en point que lui. Eux n'étaient pas mauvais, mais de la Lune au bout de trois chansons n'avait plus de voix, tremblait comme une feuille, accusait sur la mode dix ans de retard et d'ailleurs plus personne ne voulait entendre parler de lui. Je le ramassai à la petite cuiller.

Il était temps que ça change. Il en convenait. Je lui offris de travailler avec moi, pas tant pour l'argent, mais parce que c'était une bonne façon de quitter radicalement son mode de vie. Il accepta.

Un sevrage radical ne me paraissait pas indiqué. Je ne suis pas un spécialiste mais il m'est souvent arrivé de cesser de boire du café. Il est possible d'y aller très progressivement. Le premier jour de la décision, on fait ses adieux à la substance tant aimée. Il s'agit en fait d'agir comme si de rien n'était, en laissant cependant une très légère place dans sa tête, un espace mental où pourra venir s'installer le sentiment de nostalgie qui fera bon ménage plus tard avec le manque dont nous veillerons, chaque jour, à augmenter l'intensité. L'atmosphère au départ est donc aux libations, je buvais un excellent café, un deuxième. Le lendemain commençait le travail. J'avais un petit pot de café, je savais que dans sept ou huit jours il ne me resterait plus rien, mon idée était simple: ne pas gaspiller mes provisions. Je préférais donc boire une tasse un peu moins pleine d'un café un peu moins fort. Le surlendemain, dose et teneur réduisaient encore davantage. À la fin, il ne me restait à moudre qu'une cuiller à soupe ou deux de café. Je buvais ces trois gorgées de café pour la forme, comme on signe un accord, c'est officiel.

Ce fut notre méthode. Jean répandit sur la table de sa cuisine tout son stock. Il y avait là beaucoup de pot, du haschich qui sentait très bon, de la coke en grosse quantité. Les négociations commencèrent péniblement. Il s'agissait de réduire les provisions de manière substantiellement symbolique. Plus grosse était la part sacrifiée aux latrines, plus imposant était le gage du succès de notre entreprise. Jean se fit une ligne dans le genre autoroute pour se donner du courage. Il m'offrit de l'accompagner. Je refusai, mais confesse que la tentation était forte; cependant mon air de général d'armée dut lui en imposer, sinon il ne servirait à rien dans la vie de développer ses talents d'acteur.

Les semaines passèrent.

Tout semblait aller assez bien, exception faite de la bière. La coke avait été la première à disparaître, par un effet inverse de celui des noces de Cana, où le meilleur vin venait je crois à la fin, ainsi que le veulent bon sens et coutume. Mais j'hésite à croire dur comme fer que pour le reste il ait été aussi sage. Souvent j'ai cru que son pot avait la vertu magique de s'auto-engendrer puisque son petit sac se vidait très, très lentement. J'étais clément, croyant que ce n'est pas là une activité des plus terrifiantes si la modération est de la partie.

Mais remis sur pied, ce pantin aussitôt semblait s'écrouler. C'est classique. Et nous en sommes maintenant à ce point: il boit trop. Il y a un terme qui, je crois, pourrait s'appliquer: délérium très mince, c'est du latin orthographié en français parce qu'autrement je ne sais pas. Mais l'expression ne convient peut-être pas, dont je conserve néanmoins le mot délire qui la fait commencer. Car Jean délire, c'est clair à mon esprit. Il jette à droite et à gauche des regards de chien qui a peur. Mais surtout il m'explique le plus sérieusement du monde qu'il y a des gens qui l'observent, qui cherchent à l'entraîner dans une combine qui pourrait l'enrichir. Ce sont des personnages mystérieux. Il les croise dans la rue, chez le boucher, un peu partout. Ils lui parlent avec des sourires amicaux qui masquent de malveillantes intentions. Il s'agit d'hommes enturbannés, toujours les mêmes, sauf qu'une femme, elle aussi étrangère, récemment s'est mise de la partie, qui l'avait suivi dans un cinéma, et lui faisait de l'œil, revue quelque temps plus tard, jeune et jolie, invitante, désirable, mais Jean avoue ne pas avoir la tête à ça, et s'être méfié à juste titre car il l'a ensuite aperçue qui s'entretenait avec les deux étrangers.

Jean m'avait déjà parlé de ces louches individus. Ils habitent maintenant en face de chez lui. Il prétend qu'ils passent leurs soirées à l'observer avec des jumelles, que la nuit ils font sonner son téléphone, mais que plus grave encore, ils ont réussi à communiquer télépathiquement avec lui alors qu'il se mettait au lit, avec la voix aussi terriblement caressante de la fille, qui ne proféra cependant aucune obscénité, mais renouvelle constamment leur proposition.

On lui demande de les accompagner à l'étranger, pour une petite semaine; ses services sont requis. C'est très vague, et une voix gentiment, une voix intérieure lui dit qu'il n'a rien à craindre, mais une autre qui est la sienne à lui, la vraie voix de la conscience de Jean, lui dit de ne pas les écouter, que cela est diabolique et qu'il court à sa perte. Alors, il boit, croyant trouver quelque repos dans la confusion de son esprit débile.

Je l'écoute. Je le rassure.

Le dictionnaire montre que j'étais dans les patates, ça s'écrit: délirium tremens, et ça lui colle à la peau en tant que diagnostic. Il n'a rien à craindre, ce n'est qu'une conséquence, mais il faut cesser de boire. Il me dit n'avoir rien inventé. Je lui explique que son mal est terrible et qu'un de ses effets est la confusion des vessies et des lanternes, on prend le faux pour le vrai, comme dans les rêves, et même des rats bientôt vont envahir son espace vital, et il communiquera avec des fantômes, pures créations de son esprit, dans une sorte de démence précoce: il faut cesser de boire à tout prix, c'est le seul remède.

Jean comprend tout ça. Il se redresse, bombe le torse, fait des promesses d'ivrogne. Des jours durant, c'est le rocher de Gibraltar, on jurerait un autre homme. Puis, par une faille le liquide malheureux s'introduit dans son âme, le poison reprend le dessus. Jean déraille à nouveau, c'est le raz de marée du plus lamentable désespoir qui soit, il faut qu'il vide coup sur coup toutes les bouteilles qui lui tombent sous la main.

Ce matin, je klaxonne. Personne. Il n'ouvre même pas la porte pour me faire patienter. Je reklaxonne. Toujours rien. Je m'impatiente à cause du chantier où l'on est attendu. Je sors de la camionnette pour monter chez lui. J'agite la sonnette, frappe à sa porte. Toujours rien. Frappe de plus belle. Un soûlon de la pire espèce vient ouvrir. Il pue, il est pitoyablement veule et mille fois moins que rien, il est à demi nu, les deux yeux dans le beurre. De la Lune a passé la nuit dehors. Je vois se faufiler derrière lui l'ombre frêle et gracieuse d'une Orientale. Je ne pense à rien. Je suis furieux (et même un peu jaloux, ayant toujours désiré ma nuit auprès de l'une d'elles, femmes de la véritable étrangeté, leur grâce, un art, comme cela me serait un délice! mais dans l'état où il se trouve, je ne crois pas du tout que ça puisse correspondre à ce que je m'imagine), je l'engueule, un sermon sur la montagne, le discours de la méthode, sobriété, alcooliques anonymes, il avait promis, n'est pas fiable, je vide mon sac, l'injurie, lui montre que la mesure est pleine.

Je le secoue, je le toise, je le soupèse, devant rapidement évaluer s'il y a lieu ou non de le dégriser, sinon je dois vite appeler un autre gars et je serai chanceux d'en trouver, parce que tous mes chômeurs, par les temps qui courent, travaillent avec assiduité.

L'ombre chinoise sort de la salle de bains. Elle s'est habillée. Je vois son gentil sourire et ses yeux brillants. Elle me dit avec sa politesse chinoise proverbiale que notre ami a été bien malade et qu'elle l'a assisté cette nuit. Elle lui a fait boire un médicament traditionnel qui lui fera du bien, mais il a besoin de repos. Elle susurre quelques mots à son oreille. Jean de la Lune la remercie. Elle nous quitte. Jean me demande pardon et retourne se coucher. Je pars travailler.

On voit à ce récit que Jean de la Lune est un être irresponsable. Loin de moi l'idée d'en dire du mal, mais ses petites histoires passent avant tout. Il ne se soucie guère de mes affaires, ne penserait jamais à prévoir ses beuveries de manière à être en forme quand c'est le temps de travailler, quand je compte absolument sur lui.

Ai-je tendance à taire qu'il a aussi ses bons jours, que ses nuits de Chine par trop enviées me font oublier? Un ami comprend et doit pardonner. Au fond, il est du genre bohème et il est vrai que sa liberté m'a longtemps agacé. À l'époque de ses aventures de grand duc, je faisais le bon père, le mari aux rarissimes incartades, qui regarde en bavant les annonces de bière à la télé, qui voit passer sur les routes les jeunes couples dans des autos sport. Mon bonheur fragile était hanté par des images.

Lui, connaissait un succès, éphémère mais quand même, et mes enfants découpaient ses photos dans les journaux à potins. Capitaine, il commandait un bateau que j'avais manqué de peu, sur lequel j'avais refusé de monter, mais que j'aurais vraiment voulu prendre, sauf que je l'ignorais, incapable de me l'avouer.

J'ai déjà tout expliqué ça. C'est que j'avais découvert autre chose. Il y avait les arts, et plus encore, il y avait Élise, par son amour je renaissais, connaissais une sorte de révélation. Quelque chose s'était ouvert. Une symphonie faisait entendre ses premières cordes. Le monde s'élargissait.

Mais dans cet élargissement, par lui, quelque chose diminuait, se rétrécissait, une part de rêve, mais qui bien que réduite, concentrée, continuait à alimenter mon imagination.

Je reconnais aujourd'hui avec certitude qu'il s'agissait là réellement d'une promesse d'ouverture. Je vois aussi néanmoins que ce que je laissais derrière moi avait la couenne dure. C'était l'enfance. Je m'accrochais à elle. J'avais beau avoir pris la route qui mène à l'âge d'homme, je faisais du sur-place. J'imaginais encore toutes sortes de choses. Je rêvais, séparé en petits morceaux, çà et là répandus sur le sol, tous des petits moi, bris de miroirs. Un moi encore dans les jupes de sa mère, et pour longtemps s'attardant à son frêle sourire de petite malade qui s'en va sur la pointe des pieds. Un autre moi avec papa, afin qu'il ne parte pas par la même porte, et pour retenir avec lui tout l'univers dont il était le centre et qui immanquablement s'écroulerait au jour de sa disparition. Il y avait aussi un énorme moi avec Élise, un moi presque tout entier, ignorant de ses réserves, enthousiaste, fort, aimant, pour la prendre dans mes bras, afin que le monde reçoive alors une grande gerbe de sens, des fleurs semées mille lieues à la ronde qui diraient qu'il fait bon vivre, et je l'embrassais tout partout, découvrant le murmure sensible de son âme. Je m'élève maintenant à seulement évoquer cette âme d'Élise qui est l'âme de l'amour. J'entends une musique immatérielle, c'est l'Éden, toute femme peut l'offrir, mais c'est d'Élise que je l'ai d'abord reçu. Le don d'Élise m'apaisait et rassemblait tous ces petits moi sauvages et maladroits dans le bonheur fragile: celui qui saurait traire les chèvres; celui qui rafistolerait des vieilleries; qui allait boire une bière avec Jean de la Lune; qui revenait à sa belle; qui un jour lirait un conte à sa fille, un *Tintin* à son fils. Il y a tant et tant de facettes. Aujourd'hui, j'ai bien sûr quelques anguilles sous roche, mais je les connais à peu près et je n'ai plus peur, je sais que je peux aimer, et c'est la seule chose qui me tienne à cœur.

Ce soir, il m'a été donné de confirmer cette hypothèse. J'ai pris Mathieu par la main. Quand Véronique est chez sa mère, je m'imagine que mon fils me tient compagnie. C'est une pensée qui ne fait de tort à personne. Je l'ai emmené au cinéma voir *Hook*. Quand il était petit, on avait lu *Peter Pan* ensemble, alors j'ai pensé que ce serait bien de voir le film, parce que si Mathieu était encore de ce monde, c'est le film qu'on serait allé voir en famille.

J'ai regardé le film avec lui. D'autres pères étaient dans la salle ou bien des mères avec leurs enfants, et les deux à la fois. Moi, ce n'était pas pareil. Mais j'ai compris que c'est un film d'amour, qui parle de l'amour qu'un père peut éprouver pour ses chers enfants. Cette histoire nous hisse dans la compréhension sensible de l'enfance et du monde adulte. Les pensées les plus fécondes en ce qui concerne la philosophie de base de l'existence, un chimpanzé parfois les comprend mieux qu'un homme. Ce conte nous propose une pensée d'ouverture. Il me semble en effet que je parviendrai facilement à voler, dans le sens symbolique du terme, si je me forge une véritable pensée de joie. Je me dis que ce que Gandhi a pu faire pour des millions d'Indiens, moi, je saurai aussi le faire pour ma famille. Je saurai aussi le faire pour Alice, mon oncle Arthur et mon chum qui file un si mauvais coton avec ou sans Chinoise. Je suis sur la terre pour rencontrer un pareil destin. Je peux multiplier les pains, mais un par un, une belle miche blonde pour ma fille, la croûte pour Alice parce que c'est la croûte qu'elle préfère, un pain aux raisins pour de la Lune, et pour toi, ma belle Élise, un pain de seigle ou de blé entier.

En revenant du cinéma, j'ai lu trois aphorismes à Alice, toujours *Au fil du jour*, puis comme elle était épuisée, elle est allée se coucher. J'ai allumé le poste de télévision. J'ai regardé *Cinéma Paradiso* à Radio-Québec. C'est un chef-d'œuvre. Alfredo dit à Toto de s'en aller, de ne pas revenir. Quelle grande preuve d'amour, d'un père symbolique à un fils tendrement aimé sans que ce soit le sien, mais plus encore si j'ose le dire. Pour ma part j'ai fait le pari inverse mais qui revenait au même. Je suis resté. J'habite encore la maison de mon enfance. Ma mère allait et venait parmi les mêmes meubles. J'ai remplacé pour la mémoire de mon père les poissons qui sont morts, mais le coup d'œil est identique. J'exerce le même métier, à peu de choses près. J'ai gardé son atelier pour entreposer mon matériel et pour que mon oncle Arthur puisse prendre tout son temps avant de mourir.

Alfredo chasse Toto pour lui éviter de moisir, parce qu'il sait la puissance de son rêve et qu'il lui faut pour se déployer un autre ciel, celui de Rome et non pas celui d'un désert culturel, d'un coin perdu du monde. Alfredo est un père qui force la coupure, qui impose au fils la confrontation immédiate avec ce qui dépend de lui, dans le sens où Épictète le mentionne lui-même. Alfredo, avec la voix extraordinaire de Philippe Noiret, interdit la nostalgie. Cela est magistral. Magnifique aussi, puisque la nostalgie, chassée, revient en force, mais la vraie, la belle, celle qui dit combien l'amour est fort, puisque la vie, le cinéma et l'amour se résument finalement en ce merveilleux montage de baisers que mentalement produit tout homme qui fait le point sur sa vie. C'est un beau film, très riche, qui dit que la vie est difficile et que ce n'est pas comme au cinéma. J'ai pleuré. Puis il est maintenant minuit trente-cinq. J'embrasse ceux que j'aime et soulève mon chapeau pour rendre hommage au réalisateur.

19

Tout le monde sait que la vie est un perpétuel combat. Pour que règne l'harmonie, tout un chacun doit veiller chaque jour à accorder son luth. Or mon fils naquit à une époque où je négligeais d'entretenir mon ménage et il trouva la mort en pleine discorde, alors que pour une sempiternelle fois Élise et moi élevions le ton, faisant ainsi vaciller «la flamme de la lampe» du philosophe.

Cher Mathieu, je suis réellement sur le point de devenir ton père, un père qui au seuil de la mort saura dire à ses survivants: «Allez trouver le soleil qui se lève, car, pour moi, je suis à mon couchant.» Je pourrai le dire ainsi que Marc Aurèle proféra cette sentence, car mon désir aujourd'hui est de devenir, tout comme Gandhi et lui, un véritable philosophe de l'Antiquité, c'est-à-dire l'héritier, le relais de la flamme. Je mets à Antiquité une majuscule en connaissance de cause. Et si je m'exprime çà et là en rhéteur, c'est à cause de la valeur morale accrue que la figure de style confère alors à mon propos. Une métaphore triée sur le volet, une péroraison bien à point, que dis-je! l'anacoluthe et l'hyperbole exaltent le sens.

Mon cher enfant, j'entreprends désormais le Grand Voyage. Ton père s'en va au loin, à la recherche du seul Graal qui puisse être trouvé ici-bas. Je me tiens déjà au seuil de la découverte. Je m'engagerai sous peu dans la vaste demeure, Thésée devant faire face au Minotaure, car il s'agit bien d'un labyrinthe puisque je parle de la pensée, c'est-à-dire de la sagesse quand on la pousse un cran plus loin.

La postérité exiguë que je connaîtrai, ma famille immédiate jugera que j'allais et venais tout croche, sautant du coq à l'âne, de Schopenhauer à Marc Aurèle. On dira ce que l'on voudra, mais n'oubliez pas ma condition de travailleur manuel, mes responsabilités de patron bien que mes employés soient plutôt volatiles, mon atelier, mes devoirs de père, mes déboires matrimoniaux et mes nombreuses occupations. Bref, dans de telles conditions, il est normal que je ne puisse me consacrer entièrement aux doctes études; et par conséquent, il va de soi qu'abreuvé au compte-gouttes, dans le désert de ma vaste ignorance, je m'épuise à rechercher l'oasis où le nectar de la science apaisera tant bien que mal mon impatiente soif.

Or ce matin, il ne s'agissait pas d'un mirage. Verdissait la cime des arbres et un plan d'eau réfléchissait le ciel, dont le bleu adorable provoqua en moi presque l'extase et l'illumination. Je fis un pas de géant. Je découvris le stoïcisme.

Le livre où se côtoient l'empereur romain et notre ami Épictète gisait non loin de moi sur une table basse. J'allongeai la main et distraitement le feuilletai. Un phénomène se produisit, sorte de captation, j'étais pris aux rets, dans le mot à mot de l'introduction de Mario Meunier à qui je dois une fière chandelle. Cette chandelle en main, je me tiens présentement dans le vaste Portique de la pensée.

La découverte est de taille. Si je le fréquentais encore, mon psy en entendrait parler, car il était vraiment un journal intime impeccable, une carpe sur qui je pouvais vraiment compter, il ne m'aurait pas trahi, motus et bouche cousue, ne me vendrait pas à un asile en cas de procès d'intention mené contre moi par un tiers ou l'État si je faisais un faux pas. Je ne peux pas en dire autant de ces cahiers d'écolier qui fourniraient une mine d'or, parce que débordants de pièces à conviction capables de corroborer ma très particulière idiosyncrasie.

Il est vrai que pour l'instant je suis encore vulnérable, funambule au-dessus des chutes Niagara, pareil à l'homme des cavernes qui cherche à maintenir la flamme de sa torche pour sortir vivant de la grotte où il vient d'entendre la fameuse explication de Platon sur les ombres chinoises. L'homme à ce stade infantile de l'humanité, et il en va de même dans l'évolution personnelle de l'individu, titube, aveuglé par ces nouvelles lumières; il vacille, son esprit flotte en lambeaux qui hésitent dans la valse où enfin ils vont se fondre les uns aux autres pour lui donner accès à l'âge de l'homo sapiens, sapiens deux fois plutôt qu'une; c'est le moment favori des chacals, des hyènes. Les capitalistes font flèche de tout bois et sautent sur l'occasion pour lui casser les tibias, n'en faire qu'une bouchée. Nous sommes des proies faciles à cause du délabrement de l'esprit qui précède sa reprise en force quand la foudre nous a touchés. Jean de la Lune en témoigne aujourd'hui. La faible lueur de ses yeux l'indique suffisamment je crois. Mais moi, je suis sur la défensive, tel un boxeur qui se relève. Quand j'aurai mis la main sur les maximes du Portique, une lampe à la main, je sortirai de mon antre, et vainqueur du monstre je deviendrai enfin philosophe. Je cesserai de parler en paraboles et m'exprimerai en lignes droites. Ma conduite sera réglée sur les principes du Portique.

Mais qu'on me laisse ici même adresser une mise en demeure et marquer ma pensée naissante au coin du scepticisme. Je m'explique. Le philosophe fonde son action quand il s'y rend, car penser ne conduit pas toujours aux gestes appropriés; il fonde donc son action sur un ensemble de principes que j'appellerai coquille de l'escargot. Cette coquille n'est pas sans ressembler à la coquille de sa vie psychique dont il ne sait à peu près rien. À un autre niveau elle exerce des fonctions similaires: cette coquille protège. La première est construction, elle provient de la raison. La seconde se fait toute seule, sur le modèle du rêve, c'est une coquille qui ne saute pas aux yeux, sa durabilité et sa dureté vont de pair.

Les principes philosophiques ont un côté coquille d'escargot. Cette coquille ne se sécrète pas du jour au lendemain. Elle naît au sein d'une communauté de chercheurs.

Ils se lisent les uns les autres ou discutent longuement ensemble. Nos discussions à nous, commun des mortels, ressemblent à des parties d'échecs d'amateurs jouées à l'amiable dans un café à Paris ou ailleurs dans le monde. Les leurs sont comparables à celles des grands maîtres.

À eux la maison. Moi, je me tiens au seuil, et sens confusément que je n'aurai pas la patience, ni surtout la naïveté d'acquérir l'esprit de système qui la hante, parce que ce dernier nous fait tortue qui forcément perdra toujours dans la course qui l'oppose au lièvre du temps.

Je dis qu'un système en vaut un autre dans la mesure où ce qui prime est d'abord et avant tout sa fonction, d'où le nombre d'écoles, le nombre de religions. Nul n'est dans la vérité, mais toutes répondent à un besoin quant à la vérité. Idem pour la philosophie. Elle mange de la raison comme la religion a besoin de la foi. La première s'adresse aux intelligents; la seconde au cœur, et pour l'atteindre frappe l'imagination.

Ma pensée est proche de Marc Aurèle. Je cherche la page où cela est très bien exprimé par un autre. Voilà, c'est à la page 25: «L'originalité de Marc Aurèle provient donc beaucoup plus de la façon dont il mit la morale stoïcienne en pratique, que de celle qu'il eut d'en concevoir les principes. S'il n'ajoute aucune donnée nouvelle, aucune vue nettement particulière à la doctrine de ses maîtres, nul ne sut, si ce n'est l'esclave que fut l'humble Épictète, en faire vivre, comme cet empereur, la divine noblesse.»

Un peu plus loin, je lis: «immédiate application pratique». Bref, l'action. Comment agir.

Je souligne au passage une référence au communisme: «l'esclave que fut l'humble Épictète». On sait combien il m'est cher et la joie que me cause la rencontre du plus humble avec le plus pur des empereurs. Ce trait d'union montre que partout peut se produire la divine noblesse du cœur.

Je souligne en terminant ce chapitre (toutes ces notes fourniront le matériau de l'essai) que Louis Hémon appelait «hiérarchie des choses essentielles» ce que le philosophe appelle «raison souveraine», «qui régit, écrit-il, l'ordre universel ou la commune nature». J'ajoute, à la page 29: «conformer nos actions à l'ordre universel et aider ainsi, dans la mesure de nos forces, à la "bonne marche" du monde».

20

Je suis épuisé. Je croyais pouvoir prendre mon vendredi après-midi. Je voulais voir Juliette que j'ai encore revue hier soir et qui est bien jolie, mais elle fait des démarches pour son passeport. J'ai travaillé comme un esclave durant toute la semaine. J'écrirai un chapitre sur l'aliénation par le travail. C'est à peine si je parviens à tenir assis.

Lundi dernier, j'ai recommandé le repos à Jean de la Lune. Un jeune voisin le remplace, mais je préfère travailler avec Jean même s'il faut constamment passer derrière lui pour vérifier son ouvrage, un ouvrage qui se fait de plus en plus lentement. C'est plus agréable avec Jean et ma présence le rassure. Je peux aussi suivre de près l'évolution de son comportement, parce que c'est triste à dire mais il parle encore du fakir et de l'autre type, et il m'a avoué que la Chinoise se fait de plus en plus pressante. Comment savoir? J'ai vu la fille. J'ai vu son dos si pur quand elle fuyait, surprise, dans la salle de bains; ensuite je l'ai regardée droit dans les yeux, une très belle femme. Elle existe assurément, en chair et en os. Mais les autres, je ne saurais dire si Jean les imagine ou non. Quoi qu'il en soit, il fallait que Jean se repose.

Le petit voisin est franchement meilleur, très efficace, mais il est trop jeune et ses blagues ne me font pas rire, alors que Jean même au cœur du désarroi demeure un clown merveilleux, une tarte à la crème de tous les instants.

Le petit veut écouter *Les Démons du midi* à C.K.O.I. et moi je les trouve d'une platitude consommée, une insulte à l'intelligence des auditeurs qui en redemandent, faut croire. Je ne peux pas non plus sentir cette musique «too sexy for my car» et truc du genre, niaiserie évanescente qu'une bêtise pareille remplace dès le surlendemain. Et puis, impossible de discuter avec des enfants d'école buissonnière. Côté politique, il est trois fois nul, rapport Beaudoin-Dobbie connaît pas. Il est d'accord avec tout ce que je dis. À ce compte-là, pas moyen de s'engueuler. Ce n'est pas comme avec Jean qui savait se fâcher drôlement bien à l'époque pour défendre le Canada où on devait, selon lui, pouvoir chanter dans les deux langues pour faire une vraie carrière. Et encore aujourd'hui il refuse la souveraineté que je brandis de plus belle à cause de *Maria Chapdelaine*, un roman que les moins de vingt ans ne peuvent pas comprendre; or de la Lune n'est pas encore sorti de l'enfance, sauf le respect que je lui dois, n'étant moi-même engagé que depuis peu sur le terrain de l'âge adulte, et encore! une lampe stoïcienne levée à bout de bras.

21

Souvent le matin, je me lève sans entrain. Mais je me lève tout de même. Oh! tout ne va pas s'écrouler à nouveau, je le sais, il y a la loi de la statistique, elle joue en ma faveur: on ne peut pas toujours être victime des circonstances; par exemple, si ta blonde meurt dans un accident d'avion, il serait étonnant que la prochaine meure de façon identique. Il y a aussi le fait que j'ai dit oui à la vie. Alors regarde bien, c'est encore moi, je saigne un peu de vieilles blessures, mais il n'y a rien de grave. Il a bien fallu faire comme si, continuer, jouer le jeu très sérieux de la vie, sortir de son lit, se raser. Le matin je peux très bien me faire la barbe, envisager ce qui suit, le jus d'orange, les céréales, le café, tout le reste aussi: le travail, les courses, un cortège d'obligations, fort peu de gratifications, seulement le sourire de ta sœur quand elle se porte bien, les petits pas d'Alice qui insiste pour me servir ceci et encore un peu de cela. Des petites joies bien réelles m'adviennent quotidiennement, mais sur un fond d'immense tristesse, par-dessus lequel j'ai dû poser ma volonté, comme un large tapis, afin de recouvrir la grande fosse commune où il y a mes morts et ceux qui s'en vont les rejoindre tout doucement, à petits pas quand c'est déjà pour eux le bout de la route, à folle allure quand c'est ta sœur qui est pressée d'advenir aux libertés qu'elle imagine follement et aux plaisirs inouïs que lui réserve la vie: elle s'en va. Dans très peu de temps il n'y aura plus qu'une Véronique partie faire sa vie, c'est normal, je me souviens j'ai moi aussi été jeune, moi aussi mais pas toi.

Je ne parle pas tout le temps de toi, mais tu es partout présent. À chaque instant, il y a la douleur de songer à ce que serait maintenant notre vie à tous, si tu étais encore ici, parmi nous, tel qu'autrefois, souriant, grandissant, vieillissant avec nous.

Tu es parti si rapidement, un coup de faux dans la fleur de l'âge, avec la rapidité de l'éclair; un ballon de fête, une fusée de joie, une fleur de pavé qui bondissait dans le noir de la rue, sur une rue familière, une rue mille fois traversée, traversée chaque jour par n'importe qui, des voleurs, des assassins, des malades qui traînent la patte, des malheureux, des suicidés dans l'âme qui ne songent qu'au dernier métro... mais il a fallu que ce soit mon fils! Je l'ai pleuré sur tous les tons, j'ai redit cent fois le drame de ma vie à qui de droit que je payais pour que ça sorte, pour m'en sortir, pour en finir avec le remords; mais à mes pauvres yeux ma faute ne saurait être rachetée, ce n'est d'ailleurs pas ma faute, je le sais. La faute est tout autre, elle est, comme on nous l'enseignait, originelle, c'est une tache de naissance, dans un monde plein de taches de naissance, avec si peu de philosophie parce que la philosophie, c'est ce qu'il y a de plus improbable, puisque dans la vie, c'est tout seul que tu avances, avec la conscience des autres, des mots qui disent vrai, des mots qui masquent et trafiquent la réalité, notre propre ignorance qui nous menace, sans compter le poids du monde, telle une charge sur notre dos, mais dans la fable, on appelle la mort, elle arrive. À la question: pourquoi m'appelles-tu? le bûcheron lui dit que tout va très bien: «C'est, dit-il, afin de m'aider à recharger ce bois: tu ne tarderas guère.» Le bonhomme ira de l'avant. La faucheuse, la fâcheuse, on ne l'invite pas toujours avec sincérité. D'Ésope à Jean de La Fontaine, en passant par Monsieur Tout-le-Monde, l'existence nous apprend de terribles leçons. Par exemple, aujourd'hui.

J'étais dans le métro que je ne prends jamais. Une petite course pour Alice. J'y ai vu ce matin la souffrance faite femme, la misère incroyable d'une laideur sans nom. J'ai pensé à ma tendre Véronique, parfois si bourgeoisement malheureuse d'avoir un menton un tantinet accentué, un nez qui n'a pas toute la délicatesse voulue, et parfois pour la taquiner un vilain bouton qui ne se verrait qu'au microscope, c'est un sort mille fois pire que celui réservé à Cyrano, ce bouton provoquant chez elle un insurmontable complexe. Ses lèvres sont-elles assez pulpeuses? Une moue dans le miroir montre qu'elles déçoivent ce petit bout de femme.

Mais celle que j'ai vue! L'incarnation de la monstruosité. Elle devait avoir dans le début de la vingtaine. Je ne saurais décrire cette pauvre malheureuse, objet de tous les regards qui se détournaient d'elle, pour sans cesse l'épier à nouveau. J'ai alors appris par cœur la leçon qu'offrait ce terrible spectacle. J'ai compris le malheur de son cœur blessé sans arrêt, d'une blessure toujours ouverte, faite de mille blessures, coup sur coup infligées, depuis l'enfance, objet de rejet où qu'elle aille, quoi qu'elle dise ou fasse.

Peut-on concevoir un drame semblable? Et les infirmes, les éclopés, les amputés? Il n'y a pas de justice quand cette fille se lève le matin. Ose-t-elle se regarder dans une glace? se maquiller, se brosser les cheveux installée confortablement devant ce qui s'appelle une vanité? Elle s'y verrait telle que je l'ai vue, cela ne ment pas, impitoyablement. Voudrait-elle être pareille à une quelconque demoiselle qu'on ne remarque pas? Sûrement qu'elle ne rêve jamais de devenir miraculeusement belle comme Julie Masse ou admirablement puissante de beauté comme Sandrine Bonnaire. Elle ne connaît pas ce genre de fantaisies, sa réalité est trop pénible pour qu'elle ose l'imaginer autrement. Songe-t-elle à l'amour? Il s'agit là d'un luxe hors d'atteinte réservé aux autres, à celles qui sont normales, pas forcément mignonnes, mais en tout cas pas repoussantes. S'aimer les uns les autres ne va jamais de soi. Qui donc lui dira je t'aime?

Peut-être un de ceux qui veulent mourir, qui n'en peuvent plus, pour qui ce n'est pas humain pareille douleur, pas endurable, car un homme certainement connaît quelque part un calvaire qui ressemble au sien, et cet homme pourrait demain se présenter à elle, afin d'épouser sa triste destinée. Y a-t-il autour d'eux une famille pour les inciter à tenir le coup, dans leur solitude ont-ils la consolation de quelques proches? Dieu et dans le ciel ses mille séraphins, quand c'est Noël, savent-ils leur insuffler, dans cette attente qui leur paraît si vaine, toute l'énergie nécessaire à soutenir leur fragile espérance?

Et si dans un monde métamorphosé nous devenions tous aveugles? Je me crève les yeux. Je m'approche d'elle. Je ne vois ni sa barbe, ni ses yeux affolés dans son visage craintif. Je ne perçois rien de l'ingratitude simiesque de ses traits. Je suis aveugle et mon cœur bondit dans la joie qu'il éprouve à s'ouvrir. Il entend le chant tragique de son cœur et pose sur son cœur le baume de l'amour. Je prends sa main dans la mienne et tout s'épanouit, la fille laide est délivrée. Nous marchons dans un nouveau paradis. Mais elle seule, ainsi que ses frères et sœurs de mauvaise fortune, désormais éprouvent le bonheur de contempler la beauté du monde. Toutes les filles du *Penthouse* sont aveugles et les voyeurs ont refermé à jamais leurs paupières éteintes. La justice est enfin rétablie.

C'est une pensée que j'ai parce que les hommes sont affreusement esthètes. Les hommes sont affreusement esthètes à cause de la peur de la mort qu'ils ont et dont ils traquent les moindres avancées chez leurs infortunées compagnes. Il faut qu'une femme de trente, quarante, cinquante, soixante ans ressemble à une jeune fille, à une poupée de cire, rose artificielle parmi toutes les fleurs synthétiques de l'aberration qu'il y a chez tout un chacun à refuser la vie. Si eux peuvent se permettre le gris aux cheveux et leur chute sans perruque, un ventre, des pneus de gras, des ceintures de lard, du poil dans les oreilles, des poches sous les yeux, elles, et je respecte la furie des féministes qui crachèrent le venin de leur exaspération, elles, que ça ne bouge surtout pas! Obligatoirement: exercices, formol, soins de la peau, la panoplie de A à Z, le régime, la coiffeuse, l'antirouille; on trafique le kilométrage du temps, des hommes aussi cèdent à cette tentation, on est une belle catin jusqu'à la fin des temps à cause du désespoir. Je n'ai pas inventé cette théorie. Nous avons peur de la mort, et la fête pour une jolie fille sera toujours de susciter l'admiration dans le regard des soldats qui s'en vont à la guerre ou qui en reviennent, car la vie est un perpétuel combat, c'est une lapalissade avec laquelle le premier venu tombe d'accord, qu'il s'appelle Molière, Jean Chrétien ou qu'il soit l'inventeur de la dynamite, j'ai nommé nul autre que Nobel.

Quand je vois cette barbarie immonde, tout un cimetière de morts lentement s'indignent dans mon cœur et se bousculent derrière les barricades: nous sommes prêts à nous battre, contre nous-mêmes puisqu'il le faudra aussi, prêts à refuser de jouer aux cartes avec la vie. Les cartes sont si mal distribuées. Il y a la chance d'une part, les autres sont nés pour un petit pain. La fille a obtenu la pire des mains, des deux de pique sur toute la ligne. On verra plus tard si le jeu en valait la chandelle. On verra plus tard si au-delà quelque chose reste à voir.

Il se fait tard. Un mot sur de la Lune. Il est vraiment en train de virer. J'ai dit que je lui ai conseillé de rester chez lui. Il passe ses journées tout seul. Quand je l'ai appelé en début de semaine il m'a paru des plus étranges. Je lui ai donné le numéro de mon psy. Il ne l'a sans doute même pas pris en note. Je crois qu'il a peur d'être interné.

Je lui ai donné un autre coup de fil au milieu de la semaine. Il a répondu en anglais très british. Il a dit qu'il avait un tas de choses à me dire, que mon ami se portait bien, que ce serait une histoire courte, un simple épisode, notre collaboration, il a besoin de notre aide. De la Lune parlait de lui à la troisième personne du singulier comme le font les rois, mais son anglais n'avait rien de noble. Bref, il semblait se porter bien et je l'ai trouvé drôle, mais plutôt bizarre.

J'étais content de ce répit, mais les enfantillages de ce genre, conversations en anglais et propos énigmatiques me tombent sur les nerfs, car je crois qu'il me provoque, non pas qu'il simule la folie mais qu'il l'accueille un peu trop, profite d'elle, ne serait-ce que pour prendre un congé et me dire dans un mois ou deux qu'il me fait marcher depuis le début. Sa folie consisterait non pas en ce spectacle qu'il donne à voir: excentricités, signes de nervosité, confusion verbale, mais il serait fou d'avoir ainsi consacré tant d'énergie à le paraître, à me laisser croire qu'il est fou.

22

J'ai entendu aux nouvelles, à la radio, mais je n'ai pas pu lire le journal depuis pour les détails, que des syndiqués de la construction ont manifesté pour que le gouvernement intervienne dans le dossier du travail au noir, puisque trop d'entrepreneurs autonomes engageraient des types qui n'ont pas leurs cartes de compétence, et par conséquent volent des emplois aux gars de l'union. Le résultat pour moi serait la catastrophe, la faillite à coup sûr, parce que si je ne peux plus engager des chômeurs, je devrai payer deux fois plus cher des gars en règle qui, eux, en donneront la moitié à l'impôt.

Je pourrais aussi fermer boutique et vendre l'atelier de papa. On me fait des offres d'achat pour le démolir et, sans que ce soit un monument historique, sa disparition transformerait le paysage urbain, on le remplacerait par un immeuble de trois étages ou que sais-je, et il n'y aurait en tout cas plus de place autour pour la réparation des fenêtres en bois, portes, tables, chaises et kyrielle du même acabit.

Le jour où je mettrai la clef dans la boutique, l'époque sera révolue et la menuiserie que je retiens dans le siècle s'écroulera comme sous l'œuvre d'une armée insidieuse de termites. Mon rôle sur l'île de Montréal aura été de maintenir à ce titre l'essence des choses quant au travail du bois. Je songe à Joseph qui fut menuisier, humble métier s'il en est. Je me dis que mon oncle Arthur s'en va tout doucement, qu'il demeure un symbole vivant et la réminiscence de mon père dont seuls demeurent des poissons, la lumière de la serre, des meubles qui portent sa signature et une voix que j'entends encore sur une cassette et même sans.

Quand je vendrai l'atelier de mon père, je deviendrai assez fortuné pour investir une modique somme qui me rapportera au moins vingt à vingt-deux mille par année. Si j'ajoute à ça mes trois loyers d'en haut, je me vois parfaitement en pauvre rentier comme c'est pas permis à mon âge. Jean m'a dit cent fois de vendre, mais je tiens à mes souvenirs et je veux préserver Arthur. Il est fidèle à son poste depuis que je suis haut comme trois pommes. J'ajoute que dès l'âge de douze ans j'ai travaillé à ses côtés. Il m'arrive encore de lui donner un coup de main et il m'a souvent rendu service à l'époque de Mona quand je rafistolais des vieilleries. L'été dernier encore il m'a aidé en faisant des bancs pour deux saunas. Il est même venu avec moi les installer.

Cet homme est un vestige du passé, un témoin que je garde vivant en le laissant travailler tranquillement à son rythme. Cet oncle existe à cause d'une mission qu'il a, une importante mission: voir à ce que la menuiserie conserve par delà les temps sa noblesse de toujours; une mission infinitésimale qui consiste à réparer des objets qui tombent en ruine et auxquels tiennent des vieux qui n'ont pas fait le saut dans l'aluminium, qui ne savent pas où se trouve IKEA, qui peinturent encore leurs cadres de fenêtres et s'assoient sur des chaises de bois. Mais il y a aussi des jeunes dans le coin qui achètent des maisons et désirent leur conserver leur cachet d'antan. Ils viennent chez nous. Arthur leur distribue mes cartes de publicité, ça me donne parfois des contrats.

Le matin, je passe à l'atelier pour prendre mes outils et mon matériel. J'ai du café dans un thermos et je lui en offre. Il me montre des chaises qu'il répare, on parle de tout et de rien; puis, il ouvre ses livres de comptabilité, rien d'extraordinaire. Il me répète encore que son salaire n'est pas nécessaire, qu'il a sa pension, de l'argent de côté. Je fais semblant de me fâcher.

Il me dit que je perds de l'argent. Je lui réponds que c'est faux; qu'il n'est pas question de vendre la bâtisse avant la fin de la récession, que cela entraînerait alors vraiment une perte importante de capitaux; qu'en attendant, ça rend service à nos clients; que j'ai besoin de place pour mon stock. «Mais nos salaires?» dit-il. Je lui fais part d'une théorie de l'argent que j'invente au fur et à mesure, mes mains dessinant dans les airs des montagnes de courbes qui représentent les fortunes qu'amassèrent les rois depuis la nuit des temps: «Vois-tu, mon oncle, ton salaire est donc parfaitement mérité, c'est grâce à toi que je peux préserver l'investissement de base que me procurera l'atelier le jour où je pourrai enfin penser à le vendre.»

En réalité, le jour où mon oncle partira, c'en sera fini de toute une époque. Il emportera avec lui une voix qui fait particulièrement bien écho au timbre de voix de mon propre père; il emportera avec lui les derniers fruits de son arrière-saison. Peut-être a-t-il deviné que c'est la nostalgie qui me fait agir ainsi à son endroit. Quoi qu'il en soit, même s'il montre à l'occasion des signes de fatigue, je sais que tout ça le tient vraiment en vie. D'ailleurs, son travail, ce n'est pas l'enfer. Il a son homme, il le dirige. Il est responsable de quelque chose, donc il peut se sentir important, et ce sentiment d'importance lui permet vraisemblablement de garder la forme.

L'autre est un pauvre homme, un peu lent dans la tête, très correct. Qu'il puisse travailler, dans une atmosphère si calme, cela est très bien. Mais quand Arthur s'en ira, lui aussi devra tirer sa révérence, ou peut-être que je le prendrai pour des saunas. Mais des saunas, il n'est pas dit que j'en ferai toujours. Je voudrais bien pouvoir changer ma vie. J'aimerais un jour annoncer à Élise que je veux devenir philosophe, faire des études et entreprendre une carrière d'universitaire dans sept ou huit ans, vers l'âge de cinquante ans.

On se moquera de moi, et dans le concert des rires fusant de toutes parts, c'est mon rire qui sera le plus fort, homérique, slave comme celui d'un Russe qui rentre chez lui après une nuit de libations, le rire de Raspoutine.

J'évoque une folie, un rêve symbolique. Je ne tiens pas à la carrière. Mon ambition est en fait beaucoup plus modeste. Je désire simplement devenir philosophe personnel, c'est-à-dire un féru de lumières posées sur les choses, les sentiments et les idées; non pas un érudit, mais plutôt un type capable de bonheur, et de le partager.

À l'heure de son départ, quand Arthur préférera vraiment se reposer avant le repos éternel, je vendrai. Je perdrai alors mon entrepôt, je quitterai le monde merveilleux des saunas. Je deviendrai chômeur, je prendrai ma retraite. Je m'inscrirai à l'université, ce n'est pas si insensé, je serai devenu une manière de rentier.

Parfois, je travaillerai peut-être encore un peu. Je dirai à Élise que je l'aime et ce sera vrai. Elle sera revenue depuis deux ou trois ans, c'est-à-dire dans deux ou trois mois. Nous serons heureux. Elle à la radio, moi dans l'immobilier, achetant des maisons, les remettant sur pied. Je connais des gars qui le font, c'est dans mes cordes. Je travaillerai à mes heures, au compte-gouttes. Je vendrai ces maisons. Je vivrai des loyers d'en haut et des revenus que me procureront les immeubles que je conserverai. De temps à autre j'augmenterai mes locataires, sans les prendre à la gorge, à cause de mes principes. Le reste du temps je serai philosophe personnel.

Mon avenir reluit comme une mer de tranquillité. Je suis sur une barque et je pêche des poissons avec les disciples du Seigneur et en compagnie de tous les philosophes de l'antiquité et des temps modernes, à l'exclusion des démagogues et des idéologues d'extrême droite, d'obédience raciste, capitaliste et peu importe leurs noms, il convient de leur faire une lutte de tous les instants.

À cause du bonheur, le matin, Élise et moi ferons l'amour; à cause du temps retrouvé, à cause du bonheur sur terre que rend désormais possible l'idée de l'élargissement. Si ce n'est pas Élise, je lui ferai parvenir des fleurs le jour de son anniversaire et nous demeurerons en excellents termes. Peut-être que je resterai seul à jamais, cependant je vois mal que la beauté sur terre cesse un jour de m'émouvoir. Je serai donc ouvert afin d'éviter la fermeture et le rétrécissement de la solitude. Et si ce n'est plus Élise, il y aura une femme que j'appellerai ma femme, et je ne pourrai pas la rendre malheureuse parce que c'est déjà fait, et parce qu'un homme ne se comporte pas deux fois comme un enfant. Il sait éviter la catastrophe.

23

Une certaine confusion sentimentale est à craindre. Comme il est normal que les provisions s'épuisent, il a fallu que j'achète du café. Or malgré un début d'attachement, j'ai laissé tomber doutes et scrupules, j'ai fait ni une ni deux, j'ai poussé la porte de la Brûlerie comme si de rien n'était. Elle m'a alors adressé un large sourire qui me serait allé vraiment droit au cœur si j'avais eu vingt-quatre ou vingt-sept ans.

Il s'agit d'une fille de taille normale, habillée correctement, c'est-à-dire sans recherche autre que discrète, à quoi s'ajoute un élément de goût indiscutable, ce petit rien des personnes détendues, sans relâchement, dont le vêtement indique à quel point elles sont précisément celles qu'on attendait ou recherchait.

Je pourrais parler de son anatomie en long et en large, c'est loin d'être secondaire parce que la beauté du monde emprunte à son corps une occasion en or pour s'exprimer avec toute la finesse requise.

Belle, à cause du sourire de ses yeux, belle des pieds à la tête.

À chaque fois, c'est pareil: je m'incline devant le fait accompli de la fraîcheur des femmes. Quand Juliette m'a souri, je me suis assis près de ma table habituelle qui était occupée. Elle est venue me voir presque aussitôt et j'ai été frappé par la couleur de ses cheveux, d'un châtain spécial et d'une souplesse enjouée si elle détourne la tête rapidement pour faire un petit air naturel.

Il y a par-dessus tout le ton de sa voix, une voix qui sans être artificielle comme celles de certaines consœurs radiophoniques d'Élise, est des plus caressantes qui soient.

On aime regarder ses joues colorées d'aucun fard mais de santé, ses pommettes sont celles d'une enfant qui sourit. On aime les sourcils, jolis arcs et non pas ces dessins qui faussent tout, ces traits de crayon idiots que certaines trouvent beaux.

On se sent légèrement amoureux d'avoir trouvé un genre de complice, une amie nouvelle qui nous présente enfin une version agréable de la vie.

Elle ressemble à ce qu'était ta femme, à ce que sera ta fille, c'est doux de partout mais sans niaiserie, la tête nous tourne mais on sait que c'est dû à l'attrait qu'elle exerce, au trouble merveilleux de ce qui n'en est qu'à des débuts qui auront ou non des suites, nul ne le sait.

Tout ça me fait penser à l'époque où je dessinais Élise. J'étais heureux comme Matisse et mes dessins en tout cas faisaient songer à la joie que procurent ses couleurs. J'éprouve pour Juliette une tendresse qui prend un peu sa source dans une inquiétude que j'ai à penser que belle et agréable comme elle est, elle ne manquera pas de rencontrer un homme qui, je l'espère, l'aimera vraiment, même si je crois que l'amour n'est possible qu'après l'épreuve, ou au-delà.

Ainsi, elle aimera et sera aimée. Elle vieillira doucement dans un monde sans douceur, enfantera peut-être dans un monde où il n'y a plus d'enfants; elle vivra dans le bonheur, tantôt dans la gravité, tantôt dans la déception, parfois dans l'enchantement. Puis les princes cachant des monstres et les belles des mégères, une tempête risque de s'éveiller. Son homme ressemblera sans doute à celui que j'étais naguère. Il perdra le nord, l'avait-il seulement repéré? Il s'affolera dans une nuit sans étoiles et fera connaître à Juliette une certaine détresse que déjà alimentera celle de la belle devenue triste et fâchée, une détresse que Juliette aujourd'hui ne peut pas montrer, parce que ce n'est pas maintenant l'heure d'être perdue, quand il est temps plutôt de se réjouir, d'avoir une bouche fruitée, des dents qui éclatent de rire, et dans les rêves que suscite votre grâce la pose délicieuse de la sirène que je verrai peut-être un jour dans le port de Copenhague ou d'Amsterdam, enfin je ne sais plus.

On m'a dit que cette vision est fataliste et qu'un destin pareil n'est pas universel. C'est vrai, il y a des couples heureux.

Juliette m'a invité à souper. Le prétexte c'est de lui montrer ma Gibson. Elle veut que je l'aide à trouver une guitare. Moi, je suis d'accord, malgré l'agaçante différence d'âge. Puis je me pose sans arrêt des questions sur ce que je veux vraiment.

Il m'est arrivé de penser à elle le soir en me couchant. Ça me tient éveillé. Souvent, l'observant à la Brûlerie, je trouvais à son profil une grâce toute légère, sans parler de sa taille et de sa corbeille de fruits que Praxitèle aurait certainement honorée.

On admettra que je suis naïf. Comment pourrait-il en être autrement quand on veut vivre en philosophe? Quand on n'en a ni les moyens intellectuels ni le savoir, en somme les prérequis? Il faut alors avoir la franchise de dire qu'on ne possède pas un dé à coudre de cette sagacité qui depuis le monde ancien nous a été transmise en héritage, des stoïciens à Edgar Morin dont je viens de lire un entrefilet dans *Le Devoir* qui m'a touché droit au cœur, sans mentionner un hôte de passage à Montréal: Jacquard. Ces gens-là ont-ils déjà connu l'emprise de la léthargie, dû prendre soin d'un aquarium dans le sens métaphorique du terme, c'est-à-dire y plonger? Auraient-ils pu empêcher l'épreuve communiste et cette dernière table rase qui revient presque à remettre le couvert des tsaristes?

Morin écrit: «Quand un système d'idées comme ce fut le cas du marxisme porte en lui une espérance formidable, cette espérance en arrive à masquer la réalité. Mais celle-ci finit par se venger comme on l'a vu à la fin de l'année 1991.»

En fait la réalité ne se venge pas, sinon à titre de figure. Comme quoi même les penseurs prennent des raccourcis.

D'autre part, j'apprends ce matin que les députés de l'Assemblée fédérale de Tchécoslovaquie ont décidé d'interdire la diffusion de l'idéologie communiste. Or ces gens récupèrent l'ensemble des biens du parti, c'est-à-dire environ pour 500 millions de dollars de valeurs immobilières, et fauteuils, équipements divers, lampes de toutes sortes, sans oublier l'autre zouave de Roumanie dont la femme collectionnait des lustres de Versailles; ils récupèrent ces biens afin de les distribuer à des organismes humanitaires, soupes populaires et bureaux d'action sociale.

Mon point? C'est que le roi est mort, vive le roi! Ce leitmotiv de l'histoire peut passer chez la modiste qui le ressert au goût du jour. On voit alors qu'il conviendrait plutôt de dire à l'heure actuelle: Le communisme est mort, vive le communisme! En effet, j'en veux pour preuve la transformation d'un lustre en repas communautaire. Le communisme avait masqué la réalité idéologique du communisme. Il a fallu, comme le dit Catherine Mouroy du *Monde*, au début de son article paru dans *Le Devoir*, il a fallu, dis-je, «lui couper la tête afin que le peuple regarde le sang gicler de ses artères».

Et je devrais encore, connaissant ces horreurs, construire de mes mains populaires des saunas pour des types qui n'ont pas toujours une once de conscience sociale, pas la moindre aspiration à la philosophie antique et moderne, pas cette pensée communiste et chrétienne quoique athée, souvent axée sur le sens du sacré; des hommes que la beauté du monde n'émeut pas, ni le timbre d'une voix, ni les petits cheveux fous sur la nuque d'une femme qu'on aime d'amour, mais qui s'énervent, s'excitent, dans l'étroitesse de leur visée sexuelle qui découpe les corps en quartiers de viande, selon des critères invariablement prévisibles étant donné le compas qu'ils ont dans les yeux que regardent en retour sans frémir celles qui se prêtent à ces petits jeux, parce que la canaille sait reconnaître la canaille, et un dictateur se plier à une frénésie de lustres, alors qu'une putain rarement est une putain, quand très souvent celles qui ne le sont pas le sont encore davantage.

Je sais de quoi je parle et n'en parle pas qu'en puritain obsédé par la chose. Je vois autour de moi la confirmation de mes hypothèses. Les hommes ont une pensée putain, c'est-à-dire aucune pensée du tout. La cervelle et l'âme des filles ne les concernent pas à cause de leur travail et de la famille qu'ils entretiennent. Ils sont vite en affaire et même sans argent ce sont des affaires vite classées. Leur coup tiré, le canon peut lentement refroidir. Je ne veux nommer personne car le chapeau me fait. J'avoue. Il y eut un temps avec Mona où même au plus fort de l'étreinte Mona n'existait pas, ni moi pour elle d'ailleurs. J'imagine que nous étions pareils à des joueurs qui se reconnaissent dans une passion commune pour le jeu et se soutiennent tant bien que mal dans leur faillite mutuelle. Ou nous étions comme des buveurs; leur estime vient de ce qu'ils s'accoudent à un désespoir analogue, mais fermés l'un à l'autre.

Je n'ai jamais eu la pensée de Mona, la pensée pure de Mona, et si je l'ai aimée, ce n'est que longtemps après. Parce que pendant, je ne savais rien de Mona, ne voulais rien savoir d'elle que ce désir chez elle de ne rien vouloir savoir de moi en deçà de notre frénésie commune.

J'étais cet homme qui rentre chez lui, dénoue sa cravate et embrasse sa femme. J'examinais le courrier. Je ne savais pas qu'Élise existait, que Mona existait. L'absence de pensée faisait de moi un percepteur d'impôts. Tout le monde me devait quelque chose. Je me regardais dans le miroir et je me disais que j'étais une vraie vedette sans fan club et l'argent aurait dû tomber du ciel à cause de mes petits airs supérieurs très au-dessus des autres. J'avais une tête d'affiche, celle d'un artiste égaré dans le monde de la décoration intérieure, j'étais un junkie de moi-même, un héros sans exploit, en somme, le premier venu.

Aujourd'hui, tel un musulman je voudrais vivre sans miroirs. Je ne m'en sers que pour me faire la barbe et la soie dentaire. Se brosser les cheveux le nécessite à peine et n'eût été de Véro et d'Alice je les aurais décrochés des murs. Chez les Grecs, je récuse le dieu Narcisse pour les raisons ci-haut évoquées. L'image nous tue et je songe encore aux malheurs des filles laides. Mon culte de la beauté entre-t-il en contradiction avec mes principes musulmans? Je ne crois pas. Un musulman aussi déclarera que le sens de l'existence demeure lié au dévoilement de la beauté de celles qu'il aime. Le singulier dans le cas des Occidentaux demeure une attitude singulière. Nous exigeons beaucoup de nous-mêmes, c'est peut-être à notre honneur.

24

Très bonnes nouvelles de Jean, ton enjoué, plus aucune trace d'angoisse dans la voix. Il parle cependant encore en anglais d'Angleterre. Si je lui en fais le reproche, il cherche ses mots dans la langue de Voltaire et les prononce avec un accent ridicule. Bref, il se paye encore ma tête. C'est bon signe.

Il me pose aussi toutes sortes de questions sur moi et mon travail. Il voudrait que nous allions passer quelques jours à New York, ce qui est une aberration, compte tenu de ma bourse légère, de mon emploi du temps et de mes charges domestiques, ayant à prendre soin d'une vieille qui bat de l'aile et d'une fille dont le parfum est reniflé cent milles à la ronde par tous les orignaux des alentours.

À ce sujet, je n'en reviens pas comme tout se fait plus tôt de nos jours. À leur âge on se contentait de voler des *Playboy* dans les tabagies et de grimper tout seul au septième ciel moins trois ou quatre étages. Avec les filles on explorait les points chauds, mais pas trop, et les incursions dessous la lingerie étaient plutôt rares.

Il y avait deux sortes de baisers et j'ai longtemps pratiqué les deux en pensée uniquement. Il y avait le baiser gêné et le baiser pas gêné, celui des timorés puis celui des audacieux. La révolution consistait à passer du premier au second, quitte à donner ou recevoir le rhume et autres infections, on s'en foutait. Venaient ensuite les vraies caresses sans obstacles: on glisse la main sous les vêtements.

Quand on danse des slows les vendredis ou samedis soirs, on fait grand cas des fesses, mais certaines s'offusquent de nos mains exploratrices, et on se colle pour bien écraser notre machin qui va et qui vient, et on étreint plus haut de manière à sentir sur soi la poitrine oppressée de la fille qui finalement accepte nos lèvres ou détourne la tête.

De nos jours ces préliminaires n'ont plus cours. Ces étapes, et entre chacune d'elles des instants plus ou moins prolongés de doutes, d'attentes et de frustrations, ces étapes, comme il s'en trouve en plongée sous-marine et qu'on désigne sous le nom de paliers de décompression, n'existent tout simplement pas, ou alors dans de rares cas chez des jeunes très souvent inquiets d'accuser un certain retard. Ils se croient en retard parce que, comme nous autrefois, ils passent deux étés à échanger des baisers français, cela dit pour éviter un anglicisme, baisers à bouche que veux-tu, passent l'été suivant à fouiner sous les chandails, les jupes et les culottes, et enfin un jour, à la faveur d'un champ ou d'un chalet dont ils ont la clef, les voici emportés dans le grand tourbillon de la vie avec ma bénédiction et mes vœux les plus sincères de bonheur, de joie et de sérénité.

Cependant je ne voudrais pas que Véro tombe enceinte. C'est la raison pour laquelle l'autre jour je l'ai prise à part. Je lui ai dit que ce n'est pas vraiment de mes affaires et je ne veux pas te dire quoi faire et ne pas faire. Sache seulement que depuis que le monde est monde les gars ne pensent qu'à une chose et cette chose maintenant c'est toi.

Elle m'a répondu qu'ils en parlent en classe et qu'elle sait tout ça. J'ai ajouté le sida et autres écœuranteries dont on ne rit pas, sans compter que je n'ai pas l'âge d'être grand-père.

C'est alors que j'ai sorti un condom de ma poche. Rougissant de la tête aux pieds, elle a protesté avec véhémence. «Pour qui me prends-tu?» J'ai pensé: pour une petite bourgeoise, et ça m'a rassuré parce que d'autres dans le voisinage travaillent les culottes baissées et ont acquis déjà pas mal d'expérience sur le plan commercial.

Je lui ai répondu que je la prenais pour ma fille et que j'allais lui montrer comment s'en servir.

J'aurais sans doute été un assez mauvais professeur. Je me suis contenté de lui lire un peu nerveusement le mode d'emploi en ajoutant quelques petits conseils de mon cru.

Ma fille m'a remercié. Elle souriait maintenant, une légère moquerie dans l'œil, une complicité, je ne sais trop. Elle m'a dit de ne pas m'inquiéter, qu'elle avait compris toutes mes explications, mais qu'elle n'avait pas encore d'amoureux.

Je l'ai trouvée sage. J'ai senti pour ma part que j'avais joué mon rôle de père et j'étais satisfait de la tournure des événements. J'ai pensé à Mathieu, aux amours qu'il ne connaîtra pas et qui donnent un peu plus de sens à notre existence.

25

Hier, une journée de fou, remplie à ras bords, par le travail, et le fait d'endurer un Jean de la Lune qui décidément ne progresse que dans la mauvaise direction, de plus en plus copie conforme de l'autre, et je le redis, il est fou quelle que soit la manière de voir les choses: fou s'il y croit, fou s'il ne fait que faire durer une farce plate: ce qui serait son genre.

Grosse journée surtout pour deux raisons: les multiples sensations de papillons dans le ventre que procure le fait de s'approcher d'une fleur, et par après une surprise énorme dès le pied mis dans la maison au retour de chez Juliette.

Mais je commence par le commencement, le souper en soirée chez la belle Juliette. J'avais pris une douche et m'étais rasé vers cinq heures quand j'étais passé à la maison pour prendre ma guitare. Véronique souperait avec sa mère et toutes deux ensuite devaient se rendre au T.N.M. où l'on présente *Le misanthrope*.

J'avais en quelque sorte le champ libre, c'est-à-dire aucun compte à rendre, puisque je préfère garder pour moi mes petites histoires intimes, crainte que Véronique ne se mette à me taquiner, à poser toutes sortes de questions. Alice, elle, n'en pose pas. Elle devine tout, mais ne le montre pas, par une espèce de pudeur complice ou en tout cas respectueuse.

Juliette habite à cinq minutes en voiture, un troisième semblable à celui d'en haut, division similaire, meilleur éclairage naturel, mais à l'heure où j'y étais il s'agissait d'une tout autre lumière.

J'appréhendais, mais désirais sans doute davantage encore, une sorte de piège, parce que j'ai décidé que je ne voulais rien savoir de ce qui ordinairement peut se produire dans pareil cas, du moins je ne provoquerais rien, mais on a beau savoir ce qu'on veut, parfois c'est plus fort que nous, et tout se passe le plus naturellement du monde quand les pétales de la fleur sont si légers, dans l'air du soir qui les incline, encolure d'un chandail un peu lâche, échancrée, découvrant une épaule sublime, ou manches élargies du tee-shirt donnant à voir par quelque vif mouvement du bras l'aisselle et même parfois de profil quelque rondeur de sein.

Bon, je l'avoue, il y avait en moi un certain désir, et puis aussi tout le contraire, parce que je ne veux pas d'autres histoires que la mienne, qui est d'attendre Élise. Tel est mon projet: vivre à nouveau avec ma femme.

Mais ce projet a beau me définir à l'heure qu'il est, je n'en demeure pas moins un homme en chair et en os. J'aurai peut-être un jour l'étoffe du sage, mais pour celle du saint, il ne faut pas se faire d'illusions. Rien en théorie ne s'oppose à ce que je conte fleurette et m'enivre du parfum et de la chair fraîche des roses. Quand ça fait longtemps, trop longtemps, on a des vulnérabilités, des sensibilités à fleur de peau, c'est normal. Pendant toute la journée j'ai débattu la question: vais-je ou ne vais-je pas tenter de suivre la pente? Si Juliette me plaît, et elle me plaît, si je lui plais et ainsi de suite. Cela nuirait peut-être à mon projet, oui et non, non et oui, toute la journée; faut-il endiguer le torrent à flanc de montagne? Se comporter en orignal, dans le sens symbolique de l'expression, cela reviendrait-il dans mon cas, étant qui je suis, compte tenu de mon histoire, cela reviendrait-il à se comporter comme un idiot qui n'a pas encore compris qu'il faut établir une concordance entre ses sentiments et ses actes, ses idées, sa réalité, ses désirs et tout le bataclan?

Je refuse de penser que Juliette ne serait qu'un passe-temps, un déjeuner sur l'herbe sans conséquence après quoi, ni vu ni connu, ce serait chacun pour soi. Il y a d'ailleurs son voyage en Europe, l'homme qu'elle aime, elle m'en a encore parlé, et puis toute sa jeunesse, je sens que ma seule présence agirait sur elle comme une sorte d'ascenseur qui la vieillirait dans le temps de le dire. J'ajoute surtout que la part la plus importante de moi m'inscrit dans une autre trajectoire. J'ai souvent vécu avec du 49 % pour et du 51 % contre, le lendemain les proportions s'inversaient, ou le 51 devenait 52, 53, 60. Je ne savais plus quoi faire du quarante, sans compter qu'il y a souvent les pourcentages intermédiaires, les zones d'hésitation, de tergiversations, d'indécision.

Aujourd'hui, j'aime Élise à 100 %. Bien sûr, il me reste encore beaucoup de place pour les autres, même les autres femmes, mais ce n'est pas pareil. L'amour n'est plus une question d'enfantillage. Je peux étreindre Juliette, la trouver désirable, être profondément ému par sa grâce; je peux aimer Juliette, m'endormir dans sa pensée, mais le plus grand et le plus beau de mon être s'inscrit à l'enseigne d'Élise, c'est auprès d'elle que je veux vivre.

Je craignais et j'espérais tout à la fois. J'arrivai chez elle une inquiétude dans le regard. Une statue vivante au frais parfum vint ouvrir avec la simplicité de sa voix, la clarté de ses prunelles. Elle me fit visiter son jardin, une fontaine coulait, dans l'ombre des musiciens donnaient au tableau une note de parfaite harmonie, de luxe, de calme et d'un je ne sais quoi d'autre qui sur le plan symbolique indiquerait l'état d'esprit dans lequel me plongeait cette oasis que procurait la présence attrayante de Juliette.

Elle me présenta une jeune étudiante, sa colocataire. Cette dernière grignotait debout devant l'évier de la cuisine, pressée de retourner dans sa chambre, ayant un travail à terminer. On ne la revit plus, sauf vers neuf heures alors qu'elle nous salua rapidement, l'air goguenard. Elle s'en allait chez un ami.

Au souper, Juliette me servit un riz aux légumes, du vin, des fromages. Au dessert, une tarte aux pommes excellente.

On a parlé de la guitare qu'elle voudrait acheter, ensuite de moi et d'elle surtout. Plus particulièrement de ses études en histoire où elle voudrait aller de l'avant. Elle s'intéresse au moyen âge et m'a raconté des choses étonnantes sur la féodalité, les serfs, les dialectes en France, les rois et j'en passe.

On a regardé des livres, dont un qu'elle venait de se procurer, très bel ouvrage sur la quête du Graal, iconographie remarquable, notes en bas de page. Elle commentait avec des mots triés sur le volet. Je ne pouvais tout de même pas me comporter comme un abasourdi, je parlai d'Épictète, de Marc Aurèle.

Ensuite on a parlé de son amoureux qui poursuit ses études en Angleterre. Il fait des fouilles en archéologie pour obtenir une thèse de doctorat. Ce n'est pas sans m'impressionner. Leur séparation permet des retrouvailles sporadiques et de courte durée. Lors de son dernier séjour auprès de lui, Juliette a été plutôt déçue, quelque chose manquait et le type était froid. Elle ira le retrouver bientôt, mais elle ne sait plus trop si ça vaut la peine. Chose certaine, ils s'aiment. C'est Juliette qui l'a dit. Moi j'ai souri.

Elle m'a montré la photo de son singe savant. Il est du genre trop beau que je déteste. Je ne savais plus quoi dire, elle est si jolie et je sentais bien ce quelque chose dans l'air qui ne ment pas.

Il était temps que je sorte ma Gibson de son étui. J'ai chanté presque aussi bien que Jean de la Lune: «You've Got to Hide Your Love Away», «Help», des chansons de circonstance. Puis des chansons de Dylan: «Precious Angel», «Sweetheart Like You». J'ai vu une augmentation de lueur dans les yeux pétillants de Juliette, la confirmation, si besoin en était, de ce que j'aurais pu devenir, quelque part entre Charlebois et Séguin, un chanteur populaire pas piqué des vers.

En partant, j'ai posé sur son front un baiser paternel. Je lui ai répété que je la trouve bien gentille et l'ai remerciée de cette charmante soirée.

Elle m'a souri de ses belles dents blanches, de ses pommettes et de ses yeux qui brillent dessous l'arc parfait de ses sourcils. Est-il besoin de le dire encore une fois, la beauté des femmes est une bénédiction?

Je la regardais avec des yeux d'épagneul. Comment partir quand on resterait bien? J'étais dans l'embarras. La part qui serait restée auprès d'elle se trouvait néanmoins incluse dans celle, renforcée par mon sentiment, qui consiste à accepter que cette jeune femme soit ce qu'elle est, en soi tout d'abord, mais pour moi une formidable occasion de comprendre que j'aime la vie. J'aurais voulu lui dire que je la trouvais religieusement belle, je dis religieusement à cause du sentiment de respect. On peut éprouver ce sentiment face à la mer; devant un ciel accidenté de cumulus qui font comme des sommets enneigés; plus particulièrement, devant un être humain dont on perçoit la force aimante, la grâce et le sourire.

Je lui aurais dit combien je souhaite son bonheur. Ce n'est pas rien, une jeune femme avec la vie devant soi, sa tête qui penche quand elle sourit, des gestes aimables, une joie de vivre naturelle, jamais rien qui paraisse émaner d'un calcul, d'une sotte réticence.

Si je savais prier, je demanderais au Seigneur de préserver Juliette de manière à ce qu'elle connaisse le bonheur, comme j'aurais souhaité que puisse le connaître Élise, comme je le désire pour notre propre fille. Il faut que quelques personnes au moins sur cette terre partent d'ici avec le sourire aux lèvres; et durant toute leur vie, si seulement c'était possible, j'aime à penser que certaines personnes offriront au monde le spectacle d'une joie authentique, d'une exemplaire sérénité, d'une force morale dans le malheur et les atrocités générales.

Je demanderais à Dieu de permettre que les difficultés de l'existence qui apparaissent au fur et à mesure que les rêves se lèvent, et dévoilent alors une réalité dont on a peine à croire qu'on pourra vraiment s'engager à la transformer, de faire en sorte que ces difficultés n'aient pas raison de la jeunesse. Je prie aussi bien en faveur de ma fille, car je sais qu'un jour un homme trouvera dans ses yeux la force de renouer avec la beauté du monde.

Ainsi je regardais Juliette au moment de la quitter, avec des yeux qui en disaient long sur ma philosophie de la vie. Il me semble que mon sentiment se rendait jusqu'à elle. Je voulais en tout cas en être sûr et vraiment la remercier, parce que je pense que sa grâce est faite de lumière, or j'ai peur que ça se brise comme un cristal très rare à cause des cris aigus des sirènes tout autour, des gestes nerveux des gens pressés qui bousculent des roses.

Et Juliette aussi me regardait comme si j'avais été moi-même une rareté, un drôle de numéro, qui gagne à la loterie et ne sait même pas qu'il a gagné, ni comment recueillir son prix, parce que d'autres auraient eu moins de réserve et auraient procédé, parce que de toute évidence tout nous incitait dans ce sens.

Tout cela nous sautait aux yeux, allait des miens aux siens. C'est alors qu'elle a déposé avec douceur ses lèvres sur les miennes en me souhaitant une bonne nuit.

Je suis rentré tranquillement à la maison. J'ai garé la voiture derrière et suis entré par la serre. J'ai passé un long moment avec les poissons. Le son d'une voix familière, un de ses éclats m'a sorti de mes songes. Élise était là-haut.

Quatre à quatre les marches de l'escalier, c'était vrai. Elle buvait une tisane avec Alice et Véronique. Elles parlaient de la pièce. J'ai embrassé ma femme un peu nerveusement. Je me suis assis avec elles. On m'a offert une tisane.

J'étais entre Alice et Véro, en face d'elle à qui je souriais sans arrêt. Je ne pouvais pas, ne voulais pas cesser de sourire. J'étais content. Je manifestais ma joie. Élise donnait des explications à Véronique, Alice avait déjà vu une pièce de Molière, j'avais fait du théâtre à Brébeuf.

La petite et ma tante sont allées se coucher, la petite d'abord, puis l'autre s'est retirée sur la pointe des pieds, elle comprend tout. Élise n'a pas refusé quand je lui ai offert de passer au salon. On y a parlé jusqu'à minuit et même davantage. Elle a dû partir. Je lui ai proposé de rester, je dormirais sur le divan. Elle voulait vraiment partir. Je n'ai pas insisté. Elle a voulu appeler un taxi. Je me suis opposé à ce qu'elle fasse venir une voiture. Nous sommes sortis quelques instants plus tard.

Dans l'auto, on a d'abord roulé en silence, puis on s'est vraiment parlé. Quand j'ai stoppé la voiture en face de son immeuble, je lui ai enfin demandé si elle avait un amoureux. Elle a dit non.

— Tu me demandes pas si j'en ai une?

— Une quoi?

— Une amoureuse.

— Non.

— Pourquoi?

— C'est pas de mes affaires.

J'ai rétorqué le contraire, qu'on n'est pas divorcé, qu'à mon sens c'est une situation temporaire, que c'est bon signe d'avoir remis les pieds chez nous (je pensais à Mathieu).

Elle m'a interrompu, disant que ç'avait été difficile.

— Mais possible, ai-je tenu à dire.

— Oui. (une pause) Possible, mais ça ne veut rien dire.

— J'aimerais que tu reviennes, Élise. (J'ai fait cette demande le plus simplement du monde, sans théâtre dans la voix, juste un sourire.)

— Pourquoi?

Tu sais très bien pourquoi j'aimerais que tu reviennes. J'ai fait des progrès. Je sais maintenant qui je suis et ce que je veux. Je suis l'homme qui veut te rendre heureuse. Je t'aime, Élise. Je pense que ça pourrait faire ton bonheur. J'ai des projets d'avenir. Ce serait bien, et pour toi, et pour Véronique, même si c'est plus une enfant.

— Et toi! Ce serait bien pour toi?

— Oui, ça me comblerait.

— Et les autres?

— Quels autres?

Elle a répondu qu'il y avait toujours eu d'autres femmes dans ma vie, que d'après elle, il y en aurait encore et encore, toujours et toujours. Je cite ses propos, propos que j'ai réfutés. Toujours est un trop gros mot, je l'ai refusé. Elle l'a remplacé par souvent, et le encore et encore par le mot intermittence.

J'ai voulu préciser deux ou trois petites choses sur la psychologie de base de l'attitude sexuelle des hommes, son évolution au fil des ans, entre autres au niveau de la différence entre sexe et amour; que maintenant je ne voulais pas faire l'amour avec n'importe qui, mais plutôt vivre avec celle que j'aime. Je ne suis plus comme avant. J'ai changé.

Élise, en femme à qui rien n'échappe, m'a finalement demandé si j'avais une blonde. J'ai répondu que je voyais une jeune femme à l'occasion et que justement j'avais passé la soirée en sa compagnie.

— Tu vois!!!

— Quoi? Tu vas pas faire un drame avec ça?

Ma réponse venait de tout gâcher. Élise n'était plus dans son assiette. Cet aveu, qui indiquait à tout le moins que je suis dorénavant un homme franc, semblait la chagriner. J'aurais pu chercher à atténuer ses effets négatifs, raisonner, prendre la réaction d'Élise pour une preuve d'amour, la brandir comme une contradiction. Je me suis contenté de dire qu'il était normal qu'un homme seul finisse par rencontrer quelqu'un. J'ai ajouté que mon but dans la vie c'était vraiment de voir à ce que notre famille se recompose.

— Tu prends pas les bons moyens, Jean. Tu changeras jamais.

Jamais, c'est comme toujours. Je ne voulais pas de dispute. Je l'ai laissée parler.

— C'est sûrement le fait de pas avoir eu de mère. Tu seras toujours à la poursuite de l'absolu. C'est plus fort que toi, tu penses avoir trouvé l'absolu quand ta baguette s'excite.

Elle fit cette comparaison avec les chercheurs d'eau, le coudrier du sourcier. J'ai ri. Elle aussi. Elle ouvrit la portière. Je me penchai par-dessus elle pour la refermer. Je voulais qu'elle me donne encore une chance. Au moins qu'elle écoute mes explications.

Il y a l'amitié, une relation de ce type est tout à fait possible. Un homme peut éprouver un sentiment pour une femme sans qu'il s'agisse d'amour à proprement parler. Bien sûr, le désir est un élément prépondérant, mais son indice varie et ses modalités d'application sont jusqu'à nouvel ordre facultatives. J'ai tenu à dire les choses à peu près comme elles étaient sur ce plan. Juliette, dans les propos que je tenais, demeurait certes mignonne et il allait sans dire que je n'ai jamais fait vœu de chasteté.

Il y a chez moi un sens de la vie que je commence à découvrir, je tenais à le lui faire savoir. Parce que ce n'est pas en vertu d'un principe moralisateur étroit que j'agis ou n'agis pas comme je le fais avec cette jeune femme. Je finirais par réprouver un freinage pareil, à m'insurger contre une loi si cette loi ne provenait pas de mes propres découvertes, bien que ces découvertes aient été faites de longue date par des milliers de personnes avant moi; je refuserais d'obéir à une loi qui ne naîtrait pas de la volonté que j'ai de vivre dans la joie et de partager avec ceux que j'aime. Il y a encore du vieil homme en moi, au sens biblique du terme, cependant mes vues sont d'une autre nature.

C'est compte tenu de mes découvertes, en fonction de ces dernières que je me conduis, pour les approfondir, pour mieux me définir, être qui je suis et non pas le pantin de la farce dont la plupart sont victimes à leur insu, là est le drame, et pire encore quand les autres vous apparaissent comme des poupées, des petits soldats de plomb, des serviteurs, des servantes par qui établir votre puissance, illusoire parce que la véritable puissance intègre mais n'aliène jamais les autres.

Oui j'ai du désir pour Juliette, je ne l'ai pas caché, mais j'ai davantage encore (je sentais ici que je me faisais du tort à être si franc), j'ai pour elle un sentiment qui alimente ma nouvelle philosophie, et qui en est nourri en retour. D'ailleurs, ai-je précisé, elle a un amoureux. Mais ce n'est pas l'amoureux qui m'arrête, c'est mon projet, c'est notre sort à tous deux, c'est aussi le respect que j'ai pour un destin que je ne veux, pour l'instant du moins, que croiser.

Élise a eu l'air un peu surprise par mes propos. Un silence a pris place entre nous. Après quoi, ayant sans doute réfléchi, elle m'a parlé sans que je puisse déceler un seul soupçon de diatribe dans ses paroles. D'une voix calme, et avec m'a-t-il semblé des traces d'amour dans les yeux, elle m'a demandé si j'avais couché avec elle.

J'ai répondu la vérité, ce qui l'a peut-être soulagée, mais j'ai absolument voulu aller au-delà de la simple vérité, à savoir que pour ma part je ne m'interdisais rien, que mis en situation je n'aurais aucun remords, mais que pour l'instant j'accordais la primeur à mes projets de retrouvailles.

— Eh bien, sens-toi tout à fait libre, parce que moi, je n'envisage pas ça.

Pour le moment, elle ne voyait pas comment elle pourrait faire des promesses et m'empêcher de vivre ma vie.

J'ai encore répété que pour moi il n'y aurait pas d'autres femmes dans mes bras tant que ma proposition demeurait sur la table. Je lui ai expliqué qu'elle ne m'empêchait pas d'aller avec une autre, que c'était moi qui voulais l'attendre.

— Tu as peur, Jean, tu as peur de ta liberté.

— Ça se pourrait bien un peu. Mais en attendant que tu me répondes oui ou non, j'ai pas envie de commencer des histoires juste pour le fun. Me dis-tu non? Tu dis pas encore oui, ça va peut-être prendre encore du temps, mais ça pourrait être oui. Est-ce que tu peux me dire non en me regardant dans les yeux, en jurant que ça vient vraiment du cœur, que tu considères que c'est tout à fait fini? Est-ce que c'est vraiment fini, peux-tu dire maintenant que c'est vraiment fini?

Elle a dit qu'elle ne pouvait pas me répondre, qu'elle réfléchirait. Elle a aussi dit qu'elle aimait ma coupe de cheveux.

— Un jour, on va être un peu vieux. Véronique va avoir des enfants. Elle va venir nous visiter à la campagne. Tu vas être radieuse en grand-mère, je ne veux absolument pas manquer ça.

Élise m'a dit que je rêvais en couleurs. J'ai répondu que c'était de maudites belles couleurs.

Avant qu'elle ne sorte, j'ai passé mon bras autour de ses épaules. Elle s'est faite petite, dans une sorte de refus qui la tassait contre la portière. Elle craignait les gestes qui évoquent des souvenirs, elle craignait sans doute la force et le pouvoir des souvenirs. J'ai agi en homme qui protège et qui devine que le cœur l'emporte sur le reste, et que ce cœur est sur le point de s'ouvrir et de déferler sur tout le reste. Nous nous sommes embrassés tendrement.

Quand elle fut dans la rue, elle se retourna, dans les yeux un mélange d'appréhension et de confiance, un sourire confus sur ses lèvres, mais son pas et son air n'étaient pas sans légèreté.

26

Maintenant, un vent nouveau gonfle mes voiles. Malgré notre rencontre au Laurier, celui de la grosse girouette; malgré cette soirée de calme et de fraîcheur, ces ailes retrouvées avec le sourire d'Élise quand enfin elle a accepté de venir voir *Nabucco* le 13 avril prochain; malgré les perspectives de joie personnelles, il y a le reste: la grande catastrophe universelle, les banderoles de la fête pour conjurer le sort, les murailles repeintes, derrière lesquelles se traînent des cadavres, l'hystérie collective dans les stades, les hommes d'affaires occidentaux dans les bordels de l'Asie mineure, les gens qui se réunissent pour danser, oublier, s'amuser, mais aussi le rassemblement de citoyens qui proposent d'agir, alors que la roue tourne de plus en plus vite.

C'est une grande roue qui se spécialise dans les cercles vicieux, dans l'inlassable répétition des mêmes erreurs, et tous les naïfs de la terre sont béats d'admiration à cause des promesses que leur font les stations de télévision. Les vendeurs du Temple ne savent pas ce qu'ils font.

Mettre un bâton dans ces maudits rouages, congédier les croupiers, fermer les établissements, tout cela serait facile si on ne se situait qu'au pied de la lettre, mais nous sommes toujours dans une réalité qui exige de nous autre chose que des vœux pieux formulés de façon abstraite.

C'est alors qu'on se rend compte qu'on n'a plus le choix. Il faut désormais dire les choses en ligne droite, sans ambages. Dire la confusion généralisée. Non plus chercher, mais trouver des solutions. On peut penser à d'illustres exemples.

Tintin en est un. Bob Morane, le Petit Prince... Il y a toute une panoplie de personnes qui défendent la veuve et l'orphelin, qui font du journalisme de gauche, de l'action sociale, du bénévolat pour la cause commune, des émules de mère Teresa, de saint Vincent de Paul et combien d'autres.

Si cet essai est un jour publié, j'entends déjà les commentaires: «tombe à plat dans le plus réducteur des dualismes»... «ignore le b.a.-ba de la philosophie la plus élémentaire»... «n'a pas lu Guy de Larigaudie ni les travaux de Gouthière». Qu'on ne se méprenne pas, je connais d'expérience l'immense complexité des réseaux de relations qui font que prédomine la grisaille dans l'alternance des cieux, tantôt bleus, tantôt crépusculaires et zébrés par les foudres de l'enfer.

On pensera, sous prétexte que chez moi la morale occupe le haut du pavé, que les affaires publiques n'ont pas pignon sur rue. Je répondrai que je me suis fait caricaturiste pour le besoin de la cause, que je suis un philosophe du maquis, un combattant qui apprend sur le terrain, qui tire à l'occasion, mais qui surtout reste couché dans les herbages, derrière les broussailles, afin de mieux observer les choses. Car de l'étude pourront naître des mesures concrètes.

Cependant je ne me fais pas d'illusions, je manque trop de temps. Je ne peux pas fourbir mes armes correctement. Il faut que je me débrouille avec des instruments de fortune, je me bats avec des arcs et des flèches. La critique aura tout de même un peu raison, je ne suis qu'une sorte de Robin des Bois, qui ferait bande à part, et dont la cause est beaucoup trop diffuse: un peu de guerre ici, surtout là-bas, des catastrophes de gérance malhonnête, les énormités publicitaires, l'absence de partage des richesses, le Nord et le Sud, sans compter la nature qui très souvent n'y va pas avec le dos de la cuiller, ne lésine pas, à coups de volcans, de séismes et de raz de marée.

À ce rythme, et dans de pareilles conditions, on se dit: chacun pour soi, on a des poutres dans les yeux, du linge sale en famille, des rapports équivoques les uns avec les autres... Commençons par nous-même, par la rentabilité plus ou moins valorisante de mon commerce de crève-faim, j'exagère à peine, je passe mon temps à courir à droite et à gauche; par-ci, par-là, je déniche un contrat de peine et de misère, tout est à refaire, on veut me voir à la caisse, mes fournisseurs me causent toutes sortes d'ennuis, de nos jours c'est partout pareil, on ne peut pas payer illico, subito presto, il faut attendre que nos clients aient été payés pour enfin percevoir son dû.

Je fais tout, tout seul, sans l'ombre d'une secrétaire, sans rien ni personne pour m'aider à administrer cette compagnie bancale qui s'en va à vau-l'eau, avec des chômeurs au noir qu'on voudrait que je remplace par des gars en règle qui coûtent les yeux de la tête. Je me retrouverais le cul sur la paille, mais heureusement j'ai la maison et l'atelier. Le terrain, c'est du solide, c'est encore mieux que de l'argent en banque. Sauf que mes vieux jours ne sont pas assurés.

On dira que j'exagère, c'est ce que me dit Jean de la Lune, de ne pas m'inquiéter, qu'une fois notre travail fait, je n'aurai plus de soucis.

— Quel travail?

Il répond: «Celui qu'on ira faire à New York.»

Je vais téléphoner à mon psy, ça ne peut plus durer, il est tombé sur la tête.

Ma vie est une épreuve philosophique. Je renoue tranquillement avec mon épouse au moment même où je fais la rencontre d'une jeune femme agréable... Je suis mentalement en train de renoncer à mes habits de deuil, mon fils dans le lointain me fait des signes de la main, il me chasse gentiment... J'ai un ami qui me propose d'aller m'enrichir aux U.S.A. en réalisant je ne sais trop quelle combine... Mes affaires vont de plus en plus mal, je suis à un doigt de la faillite, d'autres que moi presseraient sur la gâchette.

Dans tout ce qui m'arrive, je peux voir une manière de défi que me lance la vie. C'est comme si la vraie réalité me confrontait enfin à ma propre poussière biblique. De la poussière, il y en avait dans cette étable où vint au monde notre Seigneur, la chanson disant qu'il est aimable dans son abaissement, son père Joseph tombé au bas de l'échelle, comme un itinérant. Je devrais tout lâcher, leur tendre la main, leur offrir le gîte et le couvert. Agir, je devrais agir.

Mais qu'ai-je donc fait de ma vie? Ai-je donné? J'ai voulu recevoir, vivre au bord de la mer, avoir une belle maison, du temps et de l'argent. Plus riche, aurais-je été plus heureux? Je sais bien que non. En réalité, depuis que je ne rêve plus, je n'ai jamais eu la ferme intention de passer à l'ouest de Saint-Laurent pour aller finir mes jours en Floride. Seulement je réclame du temps pour travailler à ma vie spirituelle, fort content du reste que ma vie et mon métier m'aient conduit à la philosophie.

J'en conviens: j'ai fait quelques progrès, progrès en amour assez lents, mais progrès surtout en matière d'ouverture générale, puisque je suis parti du fond, n'ayant été il y a quelques années qu'une algue marine, un coquillage quelconque, un grain de sable dans l'océan.

Il est très tard. Demain je me lèverai à six heures et prendrai de la Lune chez lui. On travaille à Westmount, la cabane des cabanes, on n'a pas idée. Un sauna gros comme un salon.

Jean se porte mieux. Il ne me parle plus du fakir, son espèce de voisin d'en face qui lui faisait si peur. Mais l'autre jour, alors que je roulais tranquillement en voiture, je les ai vus dans la rue. Ils sortaient ensemble du dépanneur, quasi bras dessus, bras dessous. J'ai salué Jean. Le fakir et lui m'ont adressé des salutations amicales, comme quoi Jean se racontait vraiment des histoires sur son compte.

Je dis que Jean semble être en meilleure forme. Ça reste à voir. C'est plus fort que lui, il me fait son cinéma, il joue un rôle. Il a vraiment viré Anglais d'Angleterre. Il me raconte ses souvenirs de Liverpool. Son enfance y passe, pas la sienne, celle de l'autre, avec sa tante Mimie, sa mère, l'accident de sa mère, ses premières guitares, The Cavern où ils ont débuté. Bref, il a dû consentir à lire le livre sur

Lennon que sa blonde lui avait offert, qu'il avait farouchement refusé de lire par solidarité et qu'il m'avait refilé. Je l'ai lu d'un couvert à l'autre, je le lui ai ensuite remis.

Il a pu le lire au plus fort de sa crise, et maintenant il conjure son mal, il théâtralise; c'est la purge, la catharsis; il rejette le poison, recrache le venin, vomit le bouquin. Jean de la Lune est devenu le Beatle des Beatles. Notre idole est ressuscitée des morts. Elle cogne des clous avec moi en chantant «Mister Moonlight».

Mais le pire, c'est que Jean remet son disque sans arrêt: «I need you for a job, you must lend a helping hand. We must go to New York as soon as possible.»

Je dois téléphoner à mon psy pour lui demander quoi faire.

27

Revu la belle Juliette. Sommes allés chez Steve's où je vais depuis toujours. On a fait le tour de la place. J'ai marchandé. On a opté pour une Takamine, ça fera l'affaire. Elle est contente, une vraie petite fille, mais je ne suis pas si vieux que ça, même si ma décision est prise. Et puis je connais trop la chanson, le gars fait un pas devant, un pas derrière, la fille tout autant, la danse du ni oui ni non. Il y a un premier baiser, le feu aux poudres, une féerie de couleurs, mais après, rapidement, le gars reprend le dessus, ou c'est la fille, personne n'a rien promis. On a valsé toute la soirée, mais passé minuit, les carrosses deviennent des citrouilles, c'est chacun pour soi. Non, elle ira, ainsi qu'en a décidé la course des planètes, rejoindre son professeur Tournesol, et c'est tant mieux pour elle; moi, j'ai rendez-vous à la Place des Arts, le 13 avril prochain, ainsi vont mes comètes, et je m'en réjouis.

Conformément à mes résolutions philosophiques, j'ai raccompagné chez elle cette petite demoiselle. J'ai accepté son infusion mais rien de plus. J'ai accordé son instrument et chanté «The Times They Are A-Changing», «Like a Rolling Stone», et j'ai terminé mon tour de chant par un judicieux «It Ain't me, Babe» qui m'a causé un certain chagrin, mais c'était un mal nécessaire.

Je faisais face à un printemps qui fleurissait dans les ruines. Je parle d'une véritable fête, d'une gloire qui scintillait dans une chevelure, d'un sourire qu'il nous faut préserver dans le cœur de ceux et celles qui choisissent de vivre.

Je percevais sa très chère jeunesse, la musique de ses gestes, la douceur que cela doit être quand elle dit je t'aime, je sais de quel parfum il s'agit. J'ai connu dans ma vie les plus hautes joies, j'ai aussi connu le pire. Je sais reconnaître l'amour, le souhaiter à ceux que j'aime, inciter à la lucidité, puisque très souvent nous fabriquons les songes qui nous achèveront. Il y aura toujours mille vessies pour une seule petite lanterne, nous devons le dire à nos enfants.

Et j'aimais Juliette comme on aime une promesse qui peut-être sera tenue. De toutes mes forces, je désire pour elle qu'il y ait encore lieu d'espérer dans un monde où tout semble désormais en passe de déchoir. Je souhaite qu'elle surgisse dans le paysage des uns et des autres, et que par milliers émanent de semblables parfums; une clairière, une source d'eau pure, et qu'il lui soit donné, ainsi qu'à ma propre fille, de vivre dans la douceur de la vie; qu'enfin nos enfants soient ailés, je leur offre mon cœur de philosophe antique et moderne, un cœur ayant traversé l'épreuve, passé par le trou de l'aiguille du chameau biblique, un cœur qui ne battait que pour lui-même, mais aujourd'hui, il y a une pensée qui s'ouvre, une maison dont les portes sont ouvertes comme mes bras se sont ouverts quand je lui ai fait mes adieux. Je lui ai dit qu'on ne se reverrait plus à cause de nos destins qui ne s'étaient que croisés, parce qu'il y a son archéologue et ma vie que je veux reprendre en main avec ma femme qui viendra voir *Nabucco*: les choses sont comme ça, je penserai à toi, bonne chance!

Juliette n'avait pas l'air triste du tout. Elle a eu son joli sourire et s'est rapprochée tranquillement de moi. Elle m'a serré très fort dans ses bras, assez longuement, et j'ai eu honte de moi à cause de la contradiction.

J'ai pensé à la guerre. J'ai vu beaucoup de films de guerre même si je ne l'ai pas connue personnellement. Il y avait l'occupant, les collaborateurs et les résistants. Je sais que Juliette et moi faisons partie du même clan, de la même cellule. Si j'avais eu une mission en zone occupée, à affronter les S.S. par exemple, un colis, un message à porter; si ç'avait été notre dernière rencontre, dans des conditions pareilles, on aurait eu recours à des gestes moins symboliques, à cause de la mort qui en temps de guerre ne l'est pas du tout.

Oui, nous nous serions sans doute aimés. Seulement, nous n'étions pas au cinéma. L'époque de l'occupation est révolue et nous vivons ici, aujourd'hui, au Canada, dans la Belle Province. J'ai choisi de servir le règne de la réalité. En son nom je refuse de participer aux rêves des autres. Je ne veux alimenter les rêves de personne.

À un certain âge, l'amour se vit aussi sur la base d'une contribution volontaire. Elle prend le relais de la première étincelle. La première étincelle est en principe la chose la plus banale qui soit. Mais lui donner suite est une entreprise de grande envergure. Un homme qui a retrouvé sa boussole et qui s'est remis en route, ne peut s'arrêter à tout bout de champ pour conter fleurette aux bergères, fussent-elles délurées, délicieuses et tout à fait dignes d'amour.

Si je ne me rends pas à Rome, je veux dire à cette réconciliation sous un même toit, eh bien, tant pis! J'aurai vécu en conséquence. Juliette sera dans les vieux pays, ma femme je ne sais trop où, et moi, en tout cas pas au diable vauvert. Je ne serai pas Gros-Jean comme devant; à l'instar de Perrette, je n'aurai pas vendu la peau de l'ours avant de le tuer ni placé tous mes œufs dans le même panier. Je serai encore philosophe.

Mais je suis sûr de mon coup: Élise reviendra, le ciel rasséréné en est le bon augure, ses derniers sourires ressemblaient à ses premiers, avec en plus la maturité nécessaire à un véritable engagement. Si l'amour est aussi contribution volontaire, ce ne sont pas, en tout cas, les étincelles qui manquent, en témoignent nos derniers baisers.

28

Cher Monsieur,
Je vous écris à cause d'une inquiétude, née de ce qu'un ami se porte mal...

Très cher Monsieur,
Un ami en déroute est responsable du fait que je vous écrive ce mot. Il s'agit en effet de Jean de la Lune. Je vous ai fréquemment parlé de lui...

Cher Monsieur Lebrun,
Je ne veux pas abuser de votre précieux temps. Comment vous portez-vous?...

Monsieur,
Comment allez-vous? Pour ma part, je me porte assez bien, mais mon ami de la Lune m'inquiète au plus haut point. Il n'a plus sa tête à lui. Je crois...

J'ai barbouillé plus d'une centaine de feuillets dans ces petits cahiers, mais voici que non, ça ne veut plus. À cause de l'allure officielle de la démarche. D'ailleurs, au début, dans les premières semaines, je portais une cravate langagière. Je ne voulais pas qu'il voie la hauteur de mon abaissement de menuisier. Je parlais avec gants blancs et pincettes. Les ordures déballées devant lui avaient un air arrangé, bouquet de fleurs artificielles. Mon désordre subissait lors de nos rencontres une sorte de ménage du printemps. Je n'allais pas droit au but. Je raffinais le matériau, je cherchais à présenter des pépites, du jaspe, de l'onyx, alors que seul l'or des fous aurait dû me préoccuper. L'or des fous est ici grossi mille fois par le télescope de la connotation. Dans la vie, il y a ce qui brille. Or tout ce qui brille n'est pas or. Le fou est un être dupe. Ses hallucinations mettent sa vie en danger. Tout comme Jean de la Lune, il prend des vessies pour des lanternes. En réalité, dans un travail comme le nôtre, le seul or qui compte ne sent pas très bon. Il s'agit de faire sortir de ses entrailles les matières qui nous empoisonnent l'existence pour cause de séjour prolongé.

En toute chose, dirait le sage, exprime-toi simplement. Je suivrai ce conseil. Voici ma lettre.

Cher M. Lebrun,

Je vous écris aujourd'hui au sujet d'un ami dont je vous ai parlé à maintes reprises. Je crois que Jean de la Lune est gravement malade. Il a l'air en forme, mais je le soupçonne de cacher des anguilles sous roche. L'homme n'est plus l'ombre de lui même, il serait plutôt celle d'un autre. Je ne sais pas s'il joue un jeu, mais le voici métamorphosé.

Vous avez su naguère le rôle joué dans sa vie et la mienne par la musique rock, l'influence des Beatles et notamment celle du mort. Le problème désormais provient de ce qu'il se comporte comme un revenant. Il parle uniquement en anglais, a perdu sa personnalité propre, au demeurant hésitante et fluctuante; n'a plus sa voix personnelle mais celle de l'autre; est finalement l'élève qui a dépassé le maître: dans la mesure où ses imitations dépassent l'entendement, on dirait un disque pirate.

Je me permets, pour éclairer votre diagnostic, d'ajouter qu'avant cette spectaculaire transformation, il y eut une période où son visage montrait les ravages d'un combat intérieur intense, dramatique. Je voyais la détresse dans ses yeux et il me lançait des regards désespérés qu'il tentait de garder par-devers lui, mais ça devenait plus fort que lui, il ne pouvait qu'implorer mon aide. Son désarroi d'alors, je n'ai jamais rien vu de tel. Tout se passait comme si le malade au plus fort de sa crise eût cherché à en atténuer les symptômes. Je le voyais tantôt chercher à camoufler son angoisse, tantôt appeler au secours malgré lui.

Je tente depuis lors de faire la part des choses. Où est le théâtre? Où commence le spectacle? Aurait-il amorcé un jeu dans le piège duquel il serait tombé? Joue-t-il la folie? Est-il de ceux qu'on enferme? Devrais-je enfin le conduire au plus proche CLSC?

Cher Monsieur, je tenais à vous dire aussi que je me considère à peu près guéri. Ces inquiétudes au sujet de la Lune mises à part, et malgré certains petits problèmes comme en éprouve tout un chacun, je peux vous dire qu'en ce qui me concerne, il y a des pages qu'on tourne, lourdes comme des dalles. Cela prend un certain temps. Mais on remonte par après dans le jour des vivants.

C'est depuis ce point de l'esprit que je vous adresse mon salut.

Bien à vous,

Jean de la Lune

J'ai signé Jean de la Lune par solidarité, parce que je ne peux pas trahir un ami. Je ne peux ni ne veux envoyer cette lettre. Je connais trop le verdict qui en découlerait et crois plus sage d'attendre avant de faire entrer le corps médical dans ce dossier.

Je sais que trop souvent les médecins fabriquent les fous à la manière des cow-boys qui dirigent les troupeaux dans les enclos. Il y a des catégories et si un veau a une anomalie, on ne le mettra pas sur le marché, ou alors il sera vendu à titre de viande à chiens à cause de la sévérité des critères de sélection alimentaire.

La société a créé l'asile, et ses metteurs en scène ont pris le taureau par les cornes afin de choisir leur camp dès le départ, je dirais par crainte d'être pris de vitesse et classés eux-mêmes du mauvais bord. Phénomène identique dans les forces de l'ordre: un tueur dans l'âme peut sagement choisir son clan, ses pulsions meurtrières trouveront un exutoire et ses crimes lui vaudront des médailles. (Note pour l'essai)

29

Je ne comprends pas tout et cela contribue à augmenter le sentiment de tristesse que j'ai depuis toujours. Je me suis rendu compte d'une curieuse propriété de la conversation et même des mots écrits. C'est qu'ils se déplacent, les mots se déforment, et alors notre pensée devient méconnaissable. On nous cite textuellement et il n'y a pas un mot de changé, mais ce n'est plus ça, le terrain s'est effondré; ce sont les mêmes pierres, le même édifice, mais il y a eu glissement, le sol sous nos pieds a déménagé, tout notre discours a été modifié.

Je dis ça parce que l'autre soir, à la salle Claude-Champagne, j'ai fait une gaffe et honte à Élise dont a résulté entre elle et moi la reprise d'une querelle séculaire.

Mais il convient de reprendre les choses par ordre d'importance ou respect de la chronologie. Puis, j'augmenterai mon propos pour atteindre des proportions historiques, puisque la philosophie permet le passage du particulier au général.

Au soir du baiser dans l'auto, le premier d'une trop courte série, j'en eus l'eau à la bouche longtemps après, Élise m'invita, ainsi que le grand public, à l'ouverture officielle de la Quinzaine du violoncelle.

Je devais la rejoindre, car elle y serait déjà, étant donné ses fonctions et une prestation ultérieure dans le cadre des activités. Mais c'est à côté du sien, comme aux plus beaux jours, que mon siège m'attendait, et je passai en matinée chez le coiffeur pour un meilleur effet.

C'est, pour ainsi dire, en monsieur que je me rendis à cette soirée, laissant ma voiture qui n'en a plus que le nom au pied de la pente, où la nostalgie des sports d'hiver s'empara de moi malgré la neige fondue. Je ne fus point lent à gravir cette pente, et c'est le sourire aux lèvres que je poussai enfin la porte, non sans avoir auparavant jeté un regard sur le panorama.

Je me revois encore: de véritables souliers, un pantalon à pli, un nouveau veston absolument pas homme d'affaires, ma chemise non plus, une chevelure propre mais ayant un genre, une taille relativement supérieure à la moyenne.

J'entre et tout de suite reconnais d'anciens amis, plus revus depuis la rupture. D'abord timide, je me ressaisis rapidement. Il convient d'enlever ma casquette et de révéler ma calvitie qui me donne du charme selon Juliette que j'ai négligée puisque j'achète désormais mon café ailleurs.

Lorraine brisera la glace. Elle m'adresse un sourire. Un groupe la retient, dont elle se dégage finalement. Embrassades, informations générales, plaisir mutuel déclaré de ces trop brèves retrouvailles.

Un autre groupe l'assaille, elle est très importante Lorraine, il y a là un couple charmant, deux, trois têtes familières parmi lesquelles je replace une violoniste de l'Orchestre métropolitain que j'avais déjà mangée des yeux pendant tout un concert.

Me revoici seul à nouveau. Un peu plus loin dans l'escalier une animatrice de Radio-Canada, l'ennemie d'Élise.

On me tape dans le dos, je me retourne, Gilles Dupuis, celui que je préfère, très bon ami d'Élise, l'animateur par excellence. Je le lui dis. On échange quelques propos sur la fin interminable de l'hiver, les nouvelles orientations de Radio-Canada, ses projets de vacances...

Soudain, Élise. Elle arrive, simple, quoique si belle, réservée dans son maintien, la plus féminine qui soit, toujours et à jamais une apparition. Les feux réverbérés des autres femmes la mettent en évidence, la discrétion même; les autres fleurissent audacieusement d'inventivités rivales, alors qu'Élise, il ne lui suffit que d'être.

Une seule ombre au tableau, son joueur d'orgue de Barbarie. Il se traîne à ses pieds comme un caniche. Je dois lui serrer la main; en lieu et place de civilités, c'est mon pied au cul que je lui mettrais, mais il s'éclipse bientôt, de même que Gilles, emporté, ce dernier, dans un des nombreux tourbillons de la valse mondaine de cette soirée qui commence.

Élise m'embrasse. Je vois dans son regard une lueur de sympathie qui ne ment pas. Mes yeux s'en portent acquéreurs et se font miroirs de cette lueur, et ce sont alors des feux réciproques dont l'accroissement mènerait droit au lit des amants que nous ne cesserons jamais d'être et je le jure sur-le-champ, je lui dis qu'elle est magnifiquement belle ce soir, la plus belle.

Elle sourit avec pudeur. Mes mains enferment sa taille légère et je l'attire toute à moi; l'âne et l'orignal dessous mon costume d'homme président à la naissance d'un sentiment qui n'est pas de mise, pas de circonstance. Élise proteste mollement. Nos bouches se touchent délicatement, un baiser qui aux yeux des autres aura été à peine perceptible, rapide, rien de remarquable: les convenances sociales prescrivaient une telle retenue.

Élise et moi entrâmes dans la salle. Nombreuses têtes sans nom, mais çà et là de vagues connaissances et autres collègues de ma femme, dont Yuli Turovsky qui, lui, ne me replace pas, alors je demeure sur mon quant-à-soi, mais Élise répond à ses salutations.

Ah! C'était une belle soirée, à laquelle je m'étais préparé en connaissance de cause. Je ne voulais pas m'endormir de cette fatigue extrême du travailleur. En conséquence de quoi je n'avais travaillé que le matin. Puis après dîner, sieste avec coups de téléphone reconduits au répondeur: au diable l'impatience des contracteurs et les mille et une soumissions! En voilà un mot qui glisse vite d'un sens à l'autre. J'ai donc dormi jusqu'au retour de Véro. On a regardé ensemble des vidéoclips.

Ce fut d'abord une excellente soirée. J'aime la musique et Bach en est le zénith, mais l'actuelle! Voici une grappe de sonorités, plus loin un silence, un écho d'on ne sait quoi, le déchirement d'une plainte, une équation mathématique, un schéma, une courbe, cela ne chante pas toujours, très rarement; il y a des compositeurs qui ont hérité des rythmes tribaux, leur musique nous semble vivante; d'autres pourraient travailler dans des cliniques de sommeil.

Je préfère les musiques que suscite l'enfer moderne. Après une page infernale, après un abîme dévorant, survient un large mouvement de réconciliation, mais c'était sans compter sur les raz de marée puissants qui anéantissent nos fragiles esquifs, nos espoirs chétifs. Un paysage désertique règne désormais sur le monde, on voit dans les ruines le bras déchiqueté d'une fillette, deux survivants qui pleuraient à l'écart se mettent à forniquer frénétiquement. Il y a tout un monde d'images, mais règle générale je me contente d'écouter. J'ai simplement voulu montrer que la musique de certains concerts auxquels Élise a participé ressemblait à tout sauf à de la musique de Bach et de Mozart.

J'ai particulièrement apprécié Marie-Danielle Parent qui chantait une pièce de Villa-Lobos. Je me sentais très bien. Du début à la fin du concert je me suis comporté comme quelqu'un de normal. Mais après le concert, les tourbillons de la valse mondaine reprirent de plus belle. Il y eut aussi le fort mouvement d'évacuation des lieux entrepris par le grand public, lequel mouvement me happa et m'entraîna, fétu de paille, dans le fleuve grondant et bouillonnant du départ. Dans le portique, l'expression «une mer humaine» trouva sa parfaite justification. Dehors, l'air du soir était frais.

J'avais déjà dit au revoir à Élise, mais je désirai encore une fois la prendre à part afin de donner plus de poids à nos retrouvailles. Je rebroussai chemin, me frayant un passage dans la foule. Élise, le groupe des organisateurs, des gens de Radio-Canada, les musiciens, tout ce beau monde s'animait dans les coulisses. Certains se retournèrent dans ma direction. Pour contrer ma gêne, allez savoir pourquoi, pitre, clown, comediante! plutôt que de marcher, je déploie mes grandes ailes de géant, fais mine d'être l'oiseau princier, adresse un large sourire à mon Élise dont le visage s'assombrit, par crainte du pire, et justement le pire se produisit: je m'envolai, sautant par-dessus un étui de violoncelle, mauvais calcul, un fil traînait, je ne sais trop, je me suis pris dedans, l'étui renversé, badaboum; la violoncelliste aux alarmes s'écria, moi par terre, la cheville foulée, gémissant, je me confondais en excuses.

Gilles Dupuis et l'organiste se sont immédiatement portés à mon secours. Derrière eux, Élise s'occupait de ma victime. Toutes deux ouvraient l'étui pour examiner l'instrument. Puis Élise vint me voir. Dans le ton de sa voix, je décelai un malaise, une fausseté. Une lueur perdue dans les yeux, remplacée par de vagues reproches à peine voilés.

Avec Dupuis, elle alla chercher la voiture. Les autres se donnaient rendez-vous au restaurant. Élise les y rejoindrait plus tard. Je restai seul avec l'organiste, ne sachant quoi dire, voulant lui tirer les vers du nez, est-il oui ou non l'amant de ma femme? Véro m'a bien dit cent fois que sa mère possède sa chambre et qu'aucun geste de familiarité entre eux ne s'est jamais produit devant ses yeux. Ça ne prouve rien, ni les airs efféminés de l'organiste, parce qu'Élise a des dons spéciaux et parce qu'on ne peut pas se fier aux apparences.

Il m'a posé des questions au sujet de mon aquarium. Élise lui en a parlé parce que lui-même est amateur et fait de la plongée dans les Caraïbes. J'ai parlé de mes poissons et de la hiérarchie des choses essentielles, passant des uns à l'autre par je ne sais quelle transition. Élise et Gilles sont enfin arrivés. Nous sommes tous montés dans la voiture. Élise conduisit. Elle déposa les deux autres au Café Laurier où se trouvait déjà le reste du groupe.

Je voyais bien à son air renfrogné que quelque chose n'allait pas. Elle se taisait obstinément. J'avais beau dire, je ne parvenais pas à la faire rire de ma maladresse.

C'est alors qu'elle m'a parlé de ma signature. J'avais, disait-elle, signé cette fin de soirée. Du moi tout craché. J'étais, selon elle, jaloux et cherchais à tout prix à lui mettre des bâtons dans les roues. Je prenais, à l'entendre, ombrage de sa carrière. Ce qui est tout à fait faux.

Le feu rouge de la rue Resther apporta de l'eau à son moulin de colère. Elle fulminait, pressée de rejoindre ses collègues. Je lui dis qu'elle pouvait garder la voiture. Elle répondit que de toute manière elle l'aurait gardée, que j'étais très généreux... (ironie méchante, langue de vipère, yeux pleins de fiel). La tension montait et le feu de la Resther était encore rouge. Faisant crisser les pneus de la voiture, Élise grilla le feu.

Je sortis de mes gonds, je l'engueulai, langue de vipère, yeux rougis, attaques sous la ceinture, mange de la marde et pire encore. Une vraie colère comme dans le bon vieux temps, une colère d'avant la révolution, sur quoi Élise déclara que ma pseudo-transformation, c'était du vent, que des paroles en l'air, que je ne changerai jamais.

Je me calmai, philosophe au bec cloué. La voiture s'arrêta enfin en face de chez moi. J'ouvris la portière et surtout, aide-moi pas! Élise démarra en trombe. Je boitillai jusqu'à la porte, lent à monter les quelques marches de l'escalier.

30

Le lendemain matin, j'étais encore en colère. Ma cheville avait enflé, la douleur intense mettait mon programme à l'eau. J'ai un sauna à terminer à l'île des Soeurs et Dieu sait qu'il m'est impossible d'y envoyer Jean tout seul. Aucun homme fiable autour de moi, une compagnie bidon qui tire le diable par la queue, une prima donna de femme qui m'insulte quand je suis à terre!

Hier, le contracteur m'a téléphoné pour m'engueuler. La caisse pop me fait des misères, il y a le rapport d'impôts, bref, la mesure est comble, ça ne peut plus durer.

Me voici donc cloué au lit encore pour quelque temps. Heureusement j'ai le journal et mes livres. Véro m'apporte le café, mais je préfère celui de la Brûlerie et ne peux réprimer une pensée à l'endroit de Juliette.

Je découvre dans *Le Devoir* l'existence d'un livre effroyable intitulé *La fin de l'Histoire et le dernier homme*.

La lecture de l'article me touche au plus haut point. Je commence à comprendre qu'un grand naïf comme moi a parfois de justes intuitions. Il s'agit d'un obscur fonctionnaire, j'ouvre les guillemets et saute plusieurs paragraphes. L'article découpé figurera dans mon spicilège, mais j'emprunterai l'ouvrage à la bibliothèque faute d'espèces sonnantes. Il se nomme Fukuyama. Sa thèse soutient que la mort du communisme marque la fin de l'Histoire qui est définie comme hostilités idéologiques pour le contrôle de l'âme humaine. Ce n'est pas rien!

Or moi, je ne faisais aucune distinction entre l'histoire minuscule et l'Histoire majuscule. J'ignorais même l'existence de cette capitale. Par contre je savais que la petite histoire a pour fonction d'extraire le passé de l'oubli où l'actualité le relègue. Il y a un palimpseste des générations qui s'empilent les unes par-dessus les autres, ça crée des étages souterrains. L'historien les découvre.

Plus tard, un documentaire qui ne m'a pas révulsé m'apprend qu'il doit y avoir du Huttérite en moi. Mais une actrice française s'indigne et jette les hauts cris. Pour m'être intéressé à l'entomologie, je sais qu'il convient de prendre à l'endroit du genre humain le point de vue de Dieu.

En fait, ces gens-là sont soumis à un ordre restreint, leur monde est petit au-dessus duquel passent la lune et les étoiles. Pour eux, le vent souffle dans la prairie, le temps passe. Mais l'actrice parisienne dénonce leur attitude. Ignore-t-elle qu'elle est, elle aussi, soumise à un ordre, quoique plus grand?

Je saute du coq à l'âne pour dire que j'ai menti. Je ne suis pas menuisier tel père tel fils. Je ne suis que le fruit avorté d'une vocation d'artiste censuré par la prolifération de sa passion. Je ne dessinais pas mal, ma peinture se défendait. Toutefois, aucun goût pour l'art abstrait, et en retard sur ce plan, comme sur le plan moral et politique où je me définirais comme progressif-conservateur, dans le sens figuré du terme.

Élise fut la beauté révélée de ma jeunesse. Elle se pliait à ma double passion. Je l'aimais toujours avant ou après, peignant et aimant dans le même mouvement, même passion, même geste.

C'était son corps dans les blés, dans le vent de la prairie qui bougeait, son corps voilé, puis révélé par la danse des herbes. Ou à nouveau dans les draps, parmi les fleurs et les fruits, devenant une frénésie, une valse alors que je multipliais sur la toile tous ces monts de Vénus.

À la fin, il n'y avait que ça, une forêt, monts et blés à la fois, roses de chair, chevelures, fleurs, lèvres; le corps en fête, pas un, mais deux, trois, cent fois par collages de peau; tous les fruits éparpillés de la corbeille de cette nature morte, parmi lesquels encore et encore des cuisses, des plis, le bondissement de croupes saillantes, une hanche, galbes et galbes, toujours d'Élise, et par elle, mon ascension, le septième ciel où nous propulsent les nymphes, une promesse, mon délire et ma profession de foi.

L'été, dans la sueur, dans l'humide soirée, Élise s'endormait toute nue et je la contemplais. Je dessinais des croquis. Je cessai de les lui montrer quand je réalisai l'ampleur de mon obsession. Je crois avoir eu peur, et qu'Élise en vienne, par ailleurs, à se croire réduite à sa vulve seule et moi à mes seuls yeux qui sondaient là je ne sais quel mystère profond.

J'écris tout cela pour m'en défaire. J'arrive chez moi au terme d'un long voyage où je me découvre l'âme d'un Huttérite. Parce que je tiens moi aussi mon maigre savoir de ce clair de lune qui éclaire la terre. C'est la lune qui me parle, je suis né de la lune et j'y retournerai. Ou pour m'exprimer en ligne droite, je dirai que celui qui se regarde perçoit une illusion. S'il lui était donné de s'observer avec les yeux de Dieu, de penser la vie avec cet esprit, il concevrait la grandeur de l'univers. Une telle hauteur de vue nous est interdite, mais il nous est peut-être permis de l'imaginer et de nous penser depuis ce point.

Quand je dis: parler en ligne droite, je ne parle pas en ligne droite. J'emploie la courbe d'un croissant de lune, je coupe court dans les sentiers et recueille des fleurs. J'emploie sa faucille pour rassembler des gerbes d'intuitions. Je suis à mille lieues du philosophe, et pourtant la même lune nous fascine depuis le début de l'humanité.

Mais il me faudra, je le crains, relancer cette faucille dans le soir qui tombe, prendre désormais les idées mot à mot, parler comme le docteur Lebrun qui avait toujours le mot juste. Jamais je ne le vis chercher sa pensée dans son cerveau bien ordonné, tandis que le mien se présente comme un terrain criblé de trous, un labyrinthe, plein de coins d'ombre d'où surgissent des fantômes.

31

Mes chers enfants. Ici commence une aventure qui me met l'eau à la bouche. J'ai retardé l'heure de conter les retrouvailles. Les événements se bousculant, j'ai peine à les ordonner.

Votre mère est venue me visiter. Elle m'a offert des fleurs. J'étais son petit malade.

Au soir de ma cheville, vous vous souviendrez qu'elle avait gardé l'auto; dans l'état où je me trouvais elle ne m'aurait guère été utile. Je lui avais donné un coup de fil le lendemain, pour lui dire de s'en servir à cause de la Quinzaine qui l'occupait du soir au matin, courses à droite et à gauche, contacts, responsabilités. Elle avait accepté mon offre mais un brin d'animosité persistait dans sa voix.

Immobilisé, déçu d'être tombé si bas, j'ai presque replongé dans l'aquarium, ressassant un tas de mauvais souvenirs, devenant l'esclave de la télé qui ne vaut pas un bon feu de foyer. Dimanche, j'ai boudé l'univers à cause de la lenteur de mes progrès dans tous les domaines. J'ajoute que rien ne va quand j'accuse du retard à l'ouvrage.

Pour m'encourager, Jean de la Lune est venu me rendre visite, et c'est un véritable Beatle, je n'ai pas peur de le dire. Nous avons entrepris ensemble un merveilleux voyage dans le temps; il prend ma Gibson et le tour est joué, pur enchantement! Il a joué comme airs tout ce qui m'est le plus cher au monde, je parle avec mon cœur des chansons qui ont fait notre jeunesse.

Jean m'a parlé de nos nouveaux amis, je ne savais pas de qui au juste. Il s'agissait de ses voisins d'en face qui vont nous aider à faire notre travail. Quel travail? Il m'a appris que nous allons bientôt produire un album et reprendre ce qu'il y a de mieux dans son répertoire.

J'ai finalement réalisé que sous des dehors moins critiques, Jean est encore à l'envers. Son délire qui l'effrayait il y a quelque temps semble désormais ne plus l'atteindre. Il fait corps avec ce qu'il dit, aucune espèce de recul, pas le moindre soupçon d'inquiétude.

Il m'a montré la photo du fakir et de ses acolytes. Il a insisté pour que je me concentre bien, il lui paraissait primordial que je puisse les reconnaître le jour où on sera sur place.

J'ai voulu savoir exactement de quoi il parlait et je me suis emporté. Tout ça relevait de l'enfantillage, et je lui demandai d'arrêter de parler en anglais! de ne plus m'embêter avec ses histoires de New York, d'aller enfin se faire soigner.

C'est alors qu'il a commencé un récit fascinant, celui de son enfance à Liverpool, expliquant ce qui relève de la légende, démarquant le vrai du faux, parlant encore une fois, non sans émotion, de sa mère, de sa tante, et de ses premières amours, de sa première guitare, des filles, des femmes, de la gloire et de ses terribles rançons.

Il était terriblement bien documenté, en pleine folie puisque je sais qu'il croit dire «sa» vérité. Cependant, je répète qu'il n'y avait plus aucune trace d'angoisse dans son regard.

Je ne sais plus quoi faire de lui. On a encore chanté plusieurs de ses chansons, et c'est vrai qu'on mettrait sa main au feu tellement c'est pareil. Le lendemain, quand j'ai appelé chez lui, une voix de femme a répondu, que j'ai reconnue: la Chinoise.

C'est lundi après-midi qu'Élise est venue me visiter avec ses fleurs. J'étais dans la serre avec mon téléphone et mes livres de comptes. J'écoutais la chanson de Clapton, «Tears in Heaven». Je copierai le texte dans ce cahier.

Ça dit quelque chose comme: «Vas-tu me reconnaître quand j'arriverai au ciel? Vas-tu te souvenir de mon nom? tenir ma main? Je dois être fort et poursuivre ma route; ma place n'est pas encore au ciel.»

Paroles d'une grande simplicité. Clapton les adresse à son fils. L'enfant, un tout jeune enfant, est tombé d'un édifice dont la fenêtre était mal fermée. Quelque chose comme une trentaine d'étages. Il est mort.

Moi, je possède la cassette. Je l'écoute sans arrêt. C'est très beau et je pleure, parce que c'est aussi mon cas: «I must be strong and carry on.»

Élise arrive sur ces entrefaites. La musique populaire occupe peu de place dans son monde, mais Élise n'est pas du genre bornée. C'est une chanson très douce jouée sur des instruments acoustiques, même une guitare classique.

On a écouté ça ensemble, et on a pleuré tous les deux comme dans le bon vieux temps. Puis sur le grand fauteuil de l'aquarium, on a été ensemble, malgré ma cheville, le père et la mère de Mathieu à nouveau réunis dans la beauté des choses de la vie.

Je lui ai dit que je l'aime, que je veux vivre et vieillir avec elle, que ses ailes peuvent se déployer grandeur nature; de ne plus craindre, ni le passé, ni le vaste déferlement des eaux, quand la mer par trop de ressacs et de houle s'élève et reprend ses fameux airs d'opéra, telle une furie montée sur ses grands chevaux d'écume, afin de nous rappeler aux origines du monde, au destin de toute chose, à la mort qui est finalement notre lot commun. Il nous faut toujours choisir de vivre ou de mourir, le vent se lève! rien ne s'oublie, Élise, rien ne s'oublie, mais il y a le bonheur de vivre, et l'avenir parfois nous sourit, il arrive que le printemps soit évident.

J'ai retrouvé, mon amour, le doux coquillage, le tendre blason de nos amours quand je me prenais pour un artiste et que docilement tu t'endormais, abandonnée aux couleurs, aux traits approximatifs que hante la beauté, après t'être offerte à la chaleur de l'étreinte, parce qu'était sorti du bois ton orignal de mari entouré d'oiseaux posés sur le ramage de ses bois, pépiant comme tous les oiseaux de Messiaen que tu adores, car venait ensuite le petit matin, et tu t'éveillais dans la pure simplicité de tes premiers sourires; je t'aimais voilée, dévoilée, au bain, faisant la cuisine, toute tendre et maternelle avec tes nourrissons, ou sous la pluie, ton violoncelle dans son étui, attendant l'autobus à l'époque où rien ne s'était encore refermé, quand j'étais tout simplement l'homme de ta vie. Or j'ai grandi, j'ai pleuré moi aussi, j'ai erré, connu la haine, l'indifférence, la peur de vivre et la solitude. J'ai vu devant moi des centaines de portes, avec l'embarras du choix et l'impossibilité de choisir. La vie m'a proposé tous les chemins, mais aucun ne semblait mener l'homme à l'homme, aucun à une vérité qui soit toute simple, et qui cependant n'ait pas que des allures de vérité.

Les gens qu'on aime sont à multiplier, il s'agit de remonter des uns aux autres, d'élargir la voie de la sollicitude.

Et puisqu'elle est notre lot, j'irai droit à la mort, en prenant tout mon temps, en baisant le gentil nombril de la femme que j'aime et qui viendra peut-être dans cette maison, ou ne viendra pas, et alors il y aura d'autres maisons, d'autres hommes, d'autres femmes, et nous irons droit devant, nous ne serons plus les hommes et femmes de la peur qui fait qu'on creuse son trou et refuse les grands départs. La vie est un voyage, même pour mes chers Huttérites, quoi qu'en pense la belle actrice de France. Les Huttérites ont choisi de vivre dans un grand aquarium. Ils lisent la Bible. Nous aurions tous intérêt à lire la Bible.

J'aurai à parler encore de ces gens-là. Ils font songer à certains animaux sympathiques dont j'ignorais l'existence. La télévision propose parfois des voyages étonnants. De même que je pense aux méfaits des miroirs, les Huttérites condamnent et réprouvent l'existence de la télévision, en quoi ils ont tort, la télévision contrairement aux miroirs possède des propriétés qui la rendent comparable à une fenêtre.

Cette fenêtre m'a permis de voir, et ces animaux, et cette communauté d'Huttérites. Ils vivent en tribu, sont plutôt petits, entre le singe et l'écureuil. Ils courent rapidement dès qu'un aigle s'abat sur eux, et vite les voici dans leur tanière.

Leur collectivité, de type huttérite, repose sur des liens très étroits. Ils vivent en bande et c'est tous pour un, un pour tous. Telles des marmottes, quoique de taille supérieure, élancées, minces, ces bêtes se tiennent debout, en repos sur une longue queue de kangourou, et leur profil dans le soir qui tombe les fait ressembler à des dizaines d'extra-terrestres: rien de plus troublant que leur visage de chien si humain, avec leur beau et fin museau.

Madame Barrault aurait-elle jeté les hauts cris devant une telle organisation communautaire? Nous remarquerons cependant que ces animaux en apparence si doux s'attaquent à des scorpions dès leur prime enfance, alors que les enfants huttérites évoluent certes dans le cocon, mais non pas d'allégeance bourgeoise et selon notre type de valeurs décadentes. Notre opinion est que tout univers, même fermé, tient lieu d'univers. Nous pourrions nous étendre plus longuement sur ce sujet d'intérêt hautement scientifique, car la science est loin d'être dissociable de l'éthique.

Les vastes contrées de l'hallucination, de l'illusion et de la déformation, des jeux de miroirs, de l'imagination qui divague, de la pensée qui déraille, les mondes où se sont perdus tous les Jean de la Lune; tout cela aussi est objet de science et de moralité publique, c'est-à-dire constitue le lieu même de la question politique. J'irai jusqu'à faire des liens avec la petite histoire de chacun, à commencer par la mienne. D'où le projet insensé de ce journal qui concerne moins les faits que leur saisie.

Par exemple, je devais, pour grandir, saisir la signification du fait de mon refus de peindre, interroger ce refus qui devint catégorique le jour où j'ai compris que le plan esthétique importait moins dans ma démarche que l'exutoire offert par cette activité, accomplie sans doute aussi parce que dans le mariage, vécu tel que nous le vivions, une curiosité instinctive se trouvait encadrée, malgré la quantité effarante de jupons qui courent les rues et qui peuvent n'être perçus, quand on ne pense qu'à ça, que comme des signaux, des cartes d'invitation que je laissais, malheureusement pensais-je, sans réponse autre que la peinture de tous ces jardins de fleurs et de coquillages.

32

Je vois bien, même après toutes ces pages, que la confusion semble s'être établie à demeure chez moi. J'ai voulu mettre de l'ordre dans ma vie. Je demande un peu d'indulgence. Mais n'ai-je pas fait quelque découverte?

Chers amis, et vous, cher docteur à qui je songe si souvent, à qui je parle encore, bien qu'il ne me soit plus donné de fréquenter votre cabinet.

Chère enfant, ma fille dans le soleil levant, vois ce soir resplendir mes habits du dimanche et cette cravate de soie dont j'habille mon discours afin de révéler dans la dignité ma toute simple découverte.

Le plus commun des mortels peut un jour saisir le principe élémentaire que voici: Nous sommes tous nés au fond de la mer. Il convient cependant de remonter à la surface et de sortir enfin de notre aquarium. Toucher la terre ferme, étreindre toute réalité rugueuse, dire adieu au songe qui tue, naître à la vie. Nous devons quitter ce qui faisait notre monde et partir à l'aventure. La sollicitude étant le moteur du voyage.

Je comprends seulement aujourd'hui pourquoi Élise m'a quitté. C'est que j'étais en train de devenir une statue hantée par le souvenir du paradis perdu. J'avais élu domicile là où rien ne bouge, où rien ne risque de se transformer. Et puis je rêvais de feux de foyer, j'avais quitté les Cantons à regret, mais ne le savais pas et lui en voulais pour cet exil dans la fureur de la ville.

On en a reparlé l'autre jour, et de comment aussi, mine de rien, je profitais d'Alice tout en ayant l'air de lui faire des faveurs, parce qu'en fait, Alice n'a rien contre l'idée d'aller rejoindre de vieilles connaissances à Longueuil, au Printemps où j'ai fait le sauna. Il y a là des installations formidables pour le troisième âge, de grandes fenêtres, piscine et salles de jeux communautaires. Mon oncle lui parle même assez fréquemment de l'accompagner et de me remettre les clefs de la boutique. Il semblerait que je les aie pris en otages.

Mais Élise me disait à l'époque des choses encore plus terribles. Elle m'accusait de parasiter mon père, et pour le loyer, et pour l'atelier. Sans parler des longs mois où j'oubliais de payer le loyer. Quand je travaillais pour lui, j'arrivais en fin de matinée, en prétextant que je cherchais de l'emploi ailleurs. J'ai finalement trouvé les saunas, mais j'en ai pris du temps à devenir franchement autonome.

Bref, le portrait est loin d'être drôle, mais le chapeau me fait beaucoup plus que pas du tout. Je le mets, bonnet d'âne: le niais. Il ne faut pas s'accabler de reproches. Mes amis philosophes m'encouragent.

Pour découvrir le principe d'ouverture il m'aura fallu quarante ans. Je dois sa découverte au départ d'Élise et au passage de Juliette, une comète dans ma vie.

Le départ d'Élise a troublé l'eau de l'aquarium, a fait des vagues qui ont presque renversé mon radeau de la méduse. Mon fils voguait au loin et remontait le fleuve vers sa source. Je ne pouvais le suivre, je ramai jusque chez mon psy qui joua le rôle d'un phare.

Juliette cueillait des pâquerettes sur le bord du fossé. Je fis sa rencontre dans la plus grande simplicité, mais cette simplicité ne provenait pas de moi. On aurait dit une île au milieu de l'océan. Comme les fées, elle détenait certains secrets.

J'ai cru plus sage d'omettre quelques détails. Il est vrai qu'en Huttérite que j'étais, je croyais faire preuve de philosophie en ne freinant pas ses velléités de départ pour l'Europe. Il aurait été encore plus raisonnable d'admettre qu'en ce qui nous concernait, il s'agissait très réellement de la rencontre d'un homme et d'une femme.

Je me disais, par ailleurs, qu'ayant reconnu ce que je voulais, il convenait de s'en tenir à cette seule volonté. Mais Élise ne m'assurait-elle pas encore et encore que je ne voulais rien d'autre que la paix, et que si je lui parlais en termes d'amour et surtout de retour, c'était uniquement parce qu'elle était la pièce qui manquait à mon casse-tête, un simple élément dans la mécanique de mon existence; qu'en fait je ne désirais rien d'autre que la ouate confortable d'une vie rassurante où faire du sur-place.

Bref, il y avait cette confusion épouvantable et plutôt que de dire: un homme et une femme, je disais: un homme et son péché. Alors qu'en fait, le péché n'était pas cette pomme offerte par l'aimable Juliette, mais le refus de cueillir la vie sur ses lèvres humides, d'y mordre à belles dents. J'ajoute que j'offrais moi aussi cette pomme. Je revendique ma part dans la réponse que nous fîmes à cette invitation que nous nous adressions. Et c'est sans l'ombre d'un remords que nous avons valsé dans la grande salle de bal des amours qui ne durent qu'un jour.

J'ai donc revu Juliette qui bouclait ses malles. Elle devait quitter le pays sous peu, emportant avec elle sa guitare qui lui fera toujours penser à moi, a-t-elle dit et je la crois. C'est moi qui l'ai appelée. Elle a bien voulu me revoir. Nous nous sommes dit adieu tout simplement. C'était quelque temps avant l'incident de ma cheville foulée. Je sais bien que j'avais déjà embrassé Élise dans l'auto. J'étais confus. Ce n'est pas le genre de chose que je lui cacherai, mais cela dépendra. Je crois que j'avais une marge de manœuvre et que même quand ton choix est fait, il y a un temps pour chaque chose, un temps pour nos petites histoires, un temps où l'on juge que toute vérité n'est pas bonne à dire et un autre pour les aveux. Du reste, cette liaison ne pouvait pas se terminer en queue de poisson. Je voulais embrasser Juliette avant son départ.

L'époque où je croisais dans la rue des ombres et des fantômes pour les ramener dans ma psyché est révolue. Je m'adresse aujourd'hui à des êtres qui ont fait ou feront la découverte de la terre ferme. C'est la raison pour laquelle je n'ai rien à cacher, du moins dans le but de me protéger. Je dirai tout, si cela ne blesse personne, ainsi qu'à un psychiatre. Oui, j'ai revu à deux reprises la belle Juliette; je l'ai revue parce que je comprenais que ma conduite à son égard avait un petit côté huttérite. Il faut savoir dans la réalité se tenir à la hauteur de ses sentiments. Il y avait du sourire et de la tendresse dans son regard. Juliette m'a ouvert sa porte. Quand je l'ai reconduite à Mirabel, c'était aussi à ma jeunesse que je faisais mes adieux.

33

Des pages à toute vitesse ont été tournées. Il y a eu un grand coup de vent et j'ai dû partir en frénésie, entraîné dans une folle aventure, invraisemblable mais pourtant vraie, et j'en ai des preuves tangibles. Tout désormais me semble possible. La vie est un rêve.

Jean de la Lune et moi avons vécu de fortes émotions. Notre trésor nous apparaît comme une preuve en or. Voici le récit. Je le ferai en ligne droite, comme quand le juge demande à l'accusé de s'en tenir aux faits.

Le mardi suivant Pâques, j'étais plutôt un homme heureux et j'allais me rendre sous peu à l'opéra avec Élise, soit le vendredi de cette même semaine. J'avais retrouvé ma forme, je parle de ma cheville. Jean de la Lune, c'était ma perception, se prenait encore pour un autre. Je commençais à m'y faire.

La veille, Élise était venue souper chez nous. Tout ce beau monde réuni autour de la table semblait réconcilié avec la vie. Notre fille rayonnait, Alice se surpassait, chacun de ses plats nous ravissait. Enfin, Arthur s'était joint à nous et parlait de leur projet d'emménagement au Printemps de Longueuil. Je consentais à les laisser partir. Il faut ce qu'il faut.

Ce mardi matin, donc, une superbe journée commençait, je passai prendre Jean chez lui. Il voulait m'offrir le petit déjeuner. Je montai le rejoindre dans son logement. C'est la Chinoise qui m'ouvrit. Elle se joignit à nous. Je fus à même de constater qu'elle était très près de mon ami, lui parlant avec douceur, sourires et une toute petite voix adorable. À en juger par son pyjama, celui de Jean, elle avait passé la nuit auprès de lui.

Nous mangeâmes tranquillement. Je me sentais un peu mal à l'aise, étant très sensible à sa féminité. Elle brisa notre presque silence.

— Vous n'êtes pas, monsieur, sans connaître le projet de votre ami. Avez-vous réfléchi?

— Je passe madame le plus clair de mon temps à réfléchir. La philosophie est mon plus précieux passe-temps.

— Je vous comprends monsieur, mais je vous parle du projet de notre ami. Êtes-vous, oui ou non, prêt à collaborer avec nous?

— Je ne sais pas de quoi vous parlez. Notre ami commun, je suppose que c'est Jean?

— Oui, plus ou moins.

— Et son projet?

— Votre ami a accepté de s'engager corps et âme dans la quête d'un ami qui cherche à œuvrer pour la paix. Il a tenté de vous entretenir de ce sujet, mais sans résultat satisfaisant. Très bientôt, il faudra agir. Serez-vous des nôtres?

— Je suis l'ami de Jean. Mais vous, qui êtes-vous?

— Je suis celle qui le guide, celle qui le maintient dans la partie inférieure de son être.

— Inférieure?

— Oui, en attendant que tout soit fini, en attendant qu'il puisse réintégrer son corps dans sa totalité.

Je pouffai de rire:

— Tout cela relève, madame, de l'ésotérisme le plus absurde. Mon ami s'est donné un coup de marteau sur la tête. Je me taille les ongles avec une faucille communiste. Il y a des gens comme ça qui sont un peu fêlés, c'est tout. Laissez-le tranquille!

— Monsieur, votre ami est en sécurité. Avec moi, il ne lui arrivera rien. Mais nous avons besoin de vous.

— En quoi puis-je vous être utile, madame? Et toi, Jean, sacrament, dis-moi ce que t'en penses? Je veux bien que tu sois tombé sous le charme, mais réveille-toi! Et m'adressant à la Chinoise: Moi aussi je vous trouve très belle madame, mais c'est pas une raison pour se laisser faire comme ça. Eh Jean, réponds! Qu'est-ce que tu vas faire? Qu'est-ce que tu veux que je fasse?

— My name is John Lennon. Listen to her, and please lend us a helping hand.

J'avalai une dernière gorgée de café. La mesure était comble. Je regardai mon ami qui était rendu dans ses orteils, dans la partie inférieure de son être. Je le bousculai un peu, lui lançant sa casquette:

— Allez! dépêche-toi, on va se mettre en retard.

C'était un contrat pour l'obtention duquel j'avais travaillé très fort. Pas question de tout gâcher pour des affaires de bonne femme, pour des histoires à dormir debout. Vite! Il fallait faire bonne figure, arriver le plus tôt possible sur le chantier. Assez perdu de temps comme ça.

J'étais fâché. On s'est rendu au chantier en gardant le silence. Après avoir déchargé la camionnette, transporté nos planches et nos outils sur place, sans perdre de temps on a commencé à travailler. On a posé l'isolant, le papier d'aluminium; on a pris nos mesures. Je travaillais comme un forcené, mon acolyte avait l'esprit ailleurs. À midi, ayant complété un mur, je propose un temps d'arrêt. Alice nous avait préparé un petit repas. Nous le mangeons.

Jean a oublié ses cigarettes dans le camion. Il va les chercher. En l'attendant je sirote mon café. Il tarde à venir, je grignote un autre biscuit. Il est parti depuis bientôt une dizaine de minutes. Je m'impatiente et recommence à travailler. Il s'entretient peut-être avec une maman qui pousse son landau, c'est son genre, ou il contemple un coin de ciel, des oiseaux sur un toit, des branches d'arbre: c'est un poète!

Je prépare d'autres planches, les scie, les place près du second mur. Toujours pas revenu. Je ne suis pas content. Quoi! il se fait bronzer? Je n'ose pas sortir à cause des outils que je n'aime pas laisser sans surveillance. Je les cache dans un coin sombre, et me voici enfin sur le trottoir. Jean n'est pas là. Ni à droite ni à gauche. Puis, tout à coup, vlan! frappé en pleine face, consterné par sa disparition, à l'endroit où son horreur s'exposait à la vue de tous, mon camion brille par son absence.

Je vide une église de jurons. Mes clefs! pas dans ma poche. Je cours chercher mon gilet. Il est en dedans avec les outils. Mes clefs, forcément volatilisées. Je suis là tout seul, avec mon stock, mes outils, plus de camion.

Je laisse deviner le tourbillon de pensées, de questions qui se pressèrent en moi; et mes sentiments d'inquiétude, de colère et de désarroi. Que faire? J'attendis, inactif. Puis, machinalement je terminai le second mur. Jean ne revint pas. Jean ne téléphona pas. Que faisait-il? Où était-il?

Il fallut compter sur la sollicitude d'un peintre grec pour rapporter mes outils sur de LaRoche. Il habitait heureusement à deux pas de l'atelier.

Allais-je signaler à la police la disparition de ma camionnette, accuser un ami? J'appelai chez lui. Pas de réponse.

Au réveil, le lendemain matin, je reçus un coup de fil. De la Lune m'appelait de New York. Il me donnait rendez-vous au Metropolitan Museum of Art, non pas avec lui, mais avec le type d'en face, son espèce de fakir, tout droit sorti d'un album de Joe et Zette, compatriotes de Tintin. Le fakir m'attendrait à l'entrée, le lendemain vers quatre heures. John s'excusait mais aux grands maux, les grands moyens.

Je ne pouvais pas abandonner mon meilleur ami à une bande d'illuminés. Dieu sait ce qu'ils auraient pu lui faire. Je pressentais le pire: messes noires, lui sacrifié; orgies dont la grande prêtresse était la Chinoise, toute gracile hier, se révélant dès lors assoiffée de sang; le fakir, un monstre qui le violerait, le déchiquetterait en morceaux. Je me rendis au rendez-vous.

Tel que convenu, le fakir faisait mine d'être absorbé par la lecture d'un roman: bien en vue, les lettres du titre, *Necropolis*, cela conformément aux directives données par mon ami.

J'avais d'abord songé à sauter sur cet homme pour lui casser la figure. Je me ravisai. Son imposante stature, et le français presque de France de cet homme distingué, ses bonnes manières, son sourire charmant; tout en lui me donnait à penser qu'il valait mieux chercher d'abord un terrain diplomatique pour régler notre litige. Le terrain suggéré fut le musée: nous y pourrons parler à notre aise, fit l'étranger.

J'obtempérai. Je n'avais pas dormi depuis deux jours. J'agissais comme un automate, dans un curieux état second de calme énervement. Il se procura nos billets.

— Votre ami se porte à merveille.

— Vous avez parlé à ses ongles d'orteils?

— Plaît-il?

— Une jolie dame, de votre connaissance je crois, m'a confié que Jean habite les sphères inférieures de sa conscience.

— Vous parlez sans doute de Madame Tz'u-Hsi. En effet, elle est des nôtres. Et concernant l'état de Jean, elle dit vrai. Mais tout va bientôt rentrer dans l'ordre.

— Je l'espère. Je veux revoir mon ami et mon camion tout de suite. On s'en va immédiatement. On a un sauna à finir. Les contracteurs m'engueulent, on va m'enlever la job.

— Ne vous souciez pas tant de ces petits problèmes. Nous allons les régler pour vous. D'ailleurs votre camionnette...

— Ma camionnette...

— ...est au garage.

— Il a eu un accident? (J'étais interloqué, perplexe, abasourdi.)

— Non, fit-il en souriant. Votre tas de ferraille représentant un danger public, nous nous sommes permis de voir à ce qu'il soit entièrement remis à neuf, voire même repeint à cause de la rouille.

J'éclatai de rire. Nous venions de pénétrer dans l'aile égyptienne. Tout autour de nous des momies et des sarcophages inquiétants ajoutaient à mon hilarité. Je riais parce que je croyais que cet homme se moquait de moi. Le fakir fut un brin déconcerté par mon fou rire.

— On ne vous veut aucun mal, ni à vous ni à votre ami. Les étoiles et la grande aiguille solaire vous ont désignés tous deux pour une importante mission. Rassurez-vous, il n'y a aucun danger. Vous retrouverez sous peu le cours de votre vie normale.

J'étais de plus en plus ébahi, stupéfait. Je ne croyais pas vraiment que tout ceci pût être vrai. Je songeai à Élise, à notre soirée à l'opéra qui allait peut-être tomber à l'eau, aux reproches qu'elle me ferait d'avoir pris des vacances avec Jean de la Lune. Je demandai à l'hurluberlu s'il croyait que mes contracteurs allaient m'attendre et m'accorder leur pardon. Quels bons prétextes me suggérait-il?

— Vous êtes un homme fasciné par les beaux-arts. Calmez-vous. Profitez de l'occasion qui vous est offerte pour visiter tranquillement ce haut lieu de culture. Vous aimez, je crois, la peinture européenne.

Quel homme disert, quelle élégance! En fin d'après-midi, nous prendrions très certainement le thé chez les Rockefeller!

Il ne me tombait pas sur les nerfs ce saugrenu, mais sur l'essentiel, mon ami, leurs ambitions, leur projet, il était encore trop peu loquace. Je voulus tout savoir sur-le-champ.

— Où est Jean?

— Dans ses petits souliers.

L'homme avait de l'humour. Je lui lançai un regard réprobateur. Il me rassura. Jean était au studio avec les autres.

— Quel studio?

— Un studio improvisé. La reconstitution de celui d'Abbey Road. Un équipement identique. Le même ingénieur du son. Tout le groupe au complet. La grande équipe enfin réunie.

— Que fait Jean dans un studio?

— On ne m'a pas menti à votre sujet. Quand vous ne voulez pas comprendre, vous êtes bien buté. Votre ami enregistre. Il se prête corps et âme à une séance d'enregistrement historique.

Eh bien! Je la trouvais bien bonne. Ce maudit fakir me prenait pour une valise. Je n'entendais pas à rire. Les choses occultes, les extra-terrestres, les fantômes de l'opéra, les zombis de toutes sortes, très peu pour moi. Les étoiles qui donnent une mission, les aiguilles qui font autre chose que dire l'heure ou tricoter; tout ça n'est bon qu'à mener au sommeil les téléspectateurs les plus crédules; ce sont des sornettes sur l'au-delà et les vies parallèles, la vie secrète de Jésus et toutes les révélations mystiques et autres frissons que procurent les mystères supposément dévoilés.

Jean de la Lune avait été choisi pour ses qualités médiumniques inconscientes, d'autant plus fortes qu'inexploitées. Par conséquent, on l'avait jugé capable de donner une énergie formidable, pure à cent pour cent. Sa voix pourrait porter le message de la paix et redonner plaisir et courage aux nombreux admirateurs frustrés par la disparition de l'idole. Je demandai qui était l'idole. Le fakir eut cette réponse sibylline: «Ce qui est su, parfois n'est pas totalement ignoré.»

Je réclamai quelques éclaircissements. Il me répondit que la lueur d'une bougie n'éclaire pas forcément sous le soleil de midi.

Le fakir avait tout à fait raison, je savais fort bien qui était l'idole et commençais à comprendre, quoique vaguement, ce qui s'était produit.

— Qu'enregistre mon ami?

— Neuf chansons, ses neuf meilleures.

— Où se trouve-t-il actuellement?

— Ils sont au studio War is over.

Il ajouta que Jean y resterait encore quelque temps. Il tenait à ce que je comprenne bien que tout ce qui s'était passé depuis la prise de contact avec Jean, l'arrimage, la transposition de l'un à l'autre, le tassement de mon ami: tout n'est que provisoire, tout rentrera dans l'ordre.

— Mais vous devrez être discrets tous les deux. Cette histoire ne doit pas être connue. D'abord personne ne vous croirait. Ensuite, votre ami a agi en connaissance de cause, il a consenti à s'effacer pour un temps. Surtout, la supercherie des bobines retrouvées est la seule qui permette la réalisation des dernières volontés de Lennon. Vous serez, du reste, grassement récompensés.

Il s'agissait de la première allusion au trésor. Je ne songeai pas à me plaindre de ce que l'homme abordât le chapitre de la rémunération. Nous quittâmes le musée.

— Vais-je revoir Jean aujourd'hui?

— Je l'ignore.

Une limousine nous attendait non loin du musée. Tout cela commençait à m'amuser. Je savourai la promenade. On me reconduisait à l'hôtel. Des vêtements m'y attendaient. J'allais me rafraîchir, dormir un peu, après quoi l'on se restaurerait.

Dans de pareilles circonstances, un homme normal se pince pour s'assurer qu'il ne rêve pas. Je n'en fis rien, ne voulant rompre le charme. La voiture comprenait de nombreux gadgets. J'allumai le poste de télévision. Le fakir me sourit comme à un jeune enfant qui découvre de nouvelles étrennes.

Nous arrivâmes enfin à l'hôtel. Vêtu comme un voyou, titubant de fatigue, soutenu de part et d'autre par le fakir et un garçon d'hôtel, j'étais l'objet d'attentions presque attendries.

Je me retrouvai bientôt dans une suite semblable à celles des grands hôtels de Montréal où j'ai des dizaines de saunas à mon actif. Seulement, c'était maintenant moi le grand pacha. La revanche est douce au cœur de l'Indien. Je me douchai. Je m'installai dans le sauna, rêveur, savourant cet instant de répit, qui ne dura pas longtemps. En effet, ma conscience professionnelle prit le dessus. Je commençai à examiner les installations, la confection des bancs, la sorte de poêle, les clous sur les murs, posés comment, si leur tête dépassait, formaient-ils pour l'œil averti une belle ligne droite?

Je puis, sans fausse modestie, affirmer que les miens sont mieux conçus et que les hôtels où j'ai offert ma compétence et ma meilleure expertise, rivalisent certainement avec ce que j'ai eu l'honneur d'expérimenter à New

York: le banc était bancal, mon cèdre est de qualité supérieure, le tout plus solide, ça ne se compare pas.

Je logeais au Carlyle, mais je n'ai pas l'intention de livrer ici mes impressions touristiques. Je m'en tiendrai aux faits. Je sortis du sauna, m'étendis sur le lit, fermai les yeux.

Un coup de fil me tira de mon sommeil. C'était mon hôte qui me faisait demander. Je m'habillai. Les vêtements étaient une gracieuseté de celle que l'hôte appelait la Veuve.

Je n'ai pas vraiment rencontré cette dernière durant mon séjour à New York. Je ne l'ai qu'aperçue de dos. On m'a cependant confié qu'elle avait vu de près à mon confort.

Le fakir, mon hôte si courtois, m'attendait dans le hall. Nous nous rendîmes au Cygne. Excellentes paupiettes de saumon à la mousse de sole. C'est à l'occasion de ce repas que me fut présenté le second personnage, celui qui au début faisait frissonner le très consentant Jean de la Lune. J'en fis la remarque à mon hôte. Il me répondit que même consentant, celui qui se prête à un tel transfert d'âme ne peut pas éviter certains effets secondaires. La part négative, mettons hésitante (il n'y aurait à l'entendre que très rarement une pleine adhésion de la part des initiés dans des opérations de ce genre) reste sur son quant-à-soi; l'individu est plus ou moins conscient de la manœuvre, en tout cas relativement perturbé.

L'autre homme d'origine slave me serra la main avec onction et un fort accent de cordialité. Nous mangeâmes comme le font les grands diplomates. Je tins peu compte des prescriptions d'usage de la coutellerie, les ignorant, me fiant plus ou moins à mes hôtes, mais les devançant et osant procéder en éclaireur si mon appétit m'y poussait.

Je parlai communisme avec le nouveau venu. Il me donna des nouvelles fraîches sur le métal refondu des statues déboulonnées. Sa taille n'était pas gigantesque. Il n'avait pas connu Raspoutine. Il était aussi chauve qu'à Montréal où je l'avais entrevu, mais sa casquette n'ornait plus son éminence.

Son visage n'aurait pas inspiré confiance à un néophyte. Ce regard torve, ce nez en bec d'aigle et ces lèvres nullement lippues lui conféraient une allure de traître à la patrie. Une moue pédante achevait de le ruiner aux yeux de qui n'y regarde pas de près. On lisait d'abord sur cette bouche l'expression d'une distance et d'un mépris ostentatoires à l'endroit de tout un chacun, bien qu'il fût avec moi des plus courtois, puisque son cœur d'homme intègre démentait la cruelle réputation que lui faisait son visage d'hypocrite, de menteur et de sale collaborateur avec les puissances les plus abjectes.

J'attaquai le premier.

— Mon meilleur ami qui n'est pourtant plus un enfant a été enlevé, séquestré je ne sais où. Mon camion a été volé. Je suis dans l'impossibilité d'honorer d'urgents contrats. Messieurs, je me retrouve ici, travesti en bien-pensant, nouveau mondain parmi les mondains, parachuté au milieu d'individus louches et suspects qui me traitent aux petits oignons, enfin, je réclame une explication!

Le fakir avec ses mains de diplomate pacifiste m'incita à plus de calme, mais mon discours enflammé n'avait pu qu'être inexorable. Le ton de ma diatribe avait monté en flèche, en feux de Bengale; mon réquisitoire m'avait gagné un auditoire considérable, toutes les têtes étaient tournées dans notre direction. Je les tenais bien. Ils devaient parler.

Le sorcier slave, imperturbable, commanda un verre. Je commandai une bière importée à un prix prohibitif. Le fakir s'abstint.

— Tout est simple, fit le Slave.

Les fluides et les aiguilles avaient reconnu en Jean et moi les hérauts de la noble ambition pacificatrice, les porte-étendard, les dépositaires de ce qu'il appelait le message. Il fallait que le message fût en quelque sorte ressuscité par notre consentement à l'exprimer.

— Vous avez compris, j'espère, que le corps de votre ami n'a été emprunté que temporairement. Sa mission terminée, il le réintégrera en entier. L'Asiatique tient à ce que vous sachiez que vous vivrez désormais sans souci d'ordre pécuniaire.

— Qui est cet homme? Je veux connaître son nom.

Le fakir m'expliqua la méprise. Il s'agissait d'une femme, de la Veuve noire.

— C'est une négresse? C'est la veuve de qui?

Il me répéta ce qu'il m'avait déjà dit quelques heures auparavant, à savoir que ce qui est su, parfois, n'est pas totalement ignoré.

— Mon ami, si j'ai bien compris, est employé par la Veuve qui désire produire un faux disque d'époque et s'enrichir en feignant la découverte de quelques bobines miraculeusement oubliées, puis retrouvées.

— Non, cette idée émane du principal intéressé.

— Et la tête de Jean dans toute cette salade, est-ce qu'on sait comment il va la retrouver?

L'homme au regard tout de même assez torve commanda des rognons sauce madère. Le fakir opta pour les ris de veau aux chanterelles. J'ai déjà dit tout le bien que je pense des paupiettes dont je me régalai car l'atmosphère finalement se détendit. Mes compagnons m'ayant enfin rassuré sur les effets secondaires minimes de cette entreprise diabolique, justifiée par la fin pacifique poursuivie, nous pûmes déguster notre repas en toute tranquillité.

Ayant regagné un peu plus tard mes appartements, je dormis comme un loir. Au matin, on monta mon petit déjeuner. Je jurai qu'Élise viendrait un jour se la couler douce au Carlyle.

Mes hôtes vinrent me chercher et, comme nous avions du temps à tuer, me proposèrent de visiter un peu la ville, les séances d'enregistrement commençant en début d'après-midi et se terminant aux petites heures. L'équipe dormait encore.

Nous prîmes place à bord de la limousine. Je regardai par la vitre. J'examinai les panneaux publicitaires. Je vis des taxis jaunes, des joggers, le «péril latino», autant de Chinois, Madison Avenue.

D'un kiosque à journaux, le fakir nous rapporta le *Daily News*. Il me montra le Madison Square Garden, Times Square, Broadway et tout et tout et tout.

Le temps filait. Je m'impatientai. Je voulais retrouver Jean de la Lune, parler à ses orteils, leur dire de tenir le coup. Le fakir regarda sa montre. M'adressant son plus gentil sourire, il demanda au conducteur de gagner le studio.

Je demandai à mes compagnons où se trouvait l'âme de mon ami. Ils m'expliquèrent que l'invité (l'idole) avait exercé une pression sur l'âme-esprit de Jean, de sorte qu'elle se trouvait fort probablement dans son ventre, endormie comme dans le sein de sa mère, pratique courante en Orient.

On fut enfin au studio. Parmi des guitares, des microphones, des fils, des instruments de toutes sortes. Il y avait là des gens que je ne connaissais pas, mais oh surprise! non loin d'eux, les survivants du groupe, mes trois autres idoles du temps de jadis. Je reconnus dans le studio Jean qui s'affairait, faisait des recommandations, expliquant ce qu'il voulait, très gentil avec tout le monde.

Il me vit et m'ouvrit grand les bras. Il me demanda de lui accorder mon pardon: ç'avait été la seule façon de me faire venir à New York. Je me rendis cette fois à l'évidence. Il me présenta aux trois autres. J'aurai bientôt quarante ans. Je ne suis plus tout à fait une petite fille, malgré tout je crus m'évanouir.

Mon fakir m'entraîna à l'écart. Il valait mieux les laisser travailler et observer discrètement cette scène historique dont nul ne soufflera jamais mot, cela devant rester entre nous.

John chanta d'abord «Strawberry Fields». Le fakir m'expliqua la conception de l'album: passage de la révolte à la volonté d'instaurer une action politique fondée sur le principe du partage et de l'égalité. Ce voyage devant s'effectuer en neuf chansons, dont trois inédites, composées outre-tombe.

John avait chanté merveilleusement bien. Il demanda une pause et vint me retrouver. Il se laissa aller à la confidence. Il nous avait choisis, après de longues enquêtes. Il avait d'abord observé ses plus fidèles admirateurs, les avait triés sur le volet. Pour son talent et sa voix si naturellement proche de la sienne; pour une adhésion indéfectible quoique naïve, Jean avait été élu. Mon sens critique et mon esprit démystificateur en quête de réalités philosophiques m'avaient valu d'être moi-même choisi. Il fallait la paire: l'hôte bienveillant, et le témoin qui assiste et maintient la mise à terre dans les moments cruciaux de l'aller et du retour.

Il avait eu besoin de nous pour cet album, mais il tenait à ce que ma participation ne consistât pas uniquement en ce rôle de soutien auprès de Jean. Il me tendit une guitare.

Au point où j'en étais, je n'allais tout de même pas donner encore une fois dans la stupéfaction et l'ébahissement. Ce ne fut pas sans réprimer un tremblement que j'acceptai l'instrument. Il avait trouvé que je chantais assez bien quand je l'imitais. Nos deux voix conjointes rendraient de manière plus probante l'illusion de sa propre voix. Nous chantâmes «Help» et «Nowhere Man». La session se prolongea tard dans la nuit.

Je continuai à loger au Carlyle. De la Lune passait ses nuits chez lui, au Dakota. Je ne fus pas présenté à la Veuve noire, je ne saurais dire pourquoi. Peut-être se tenait-elle loin pour qu'on ne puisse pas l'accuser d'avoir des visées mercantiles. Je sais pour ma part que ses intentions ne concernaient que le «message». Elle avait apporté tout son soutien à ce projet, en manière de cadeau qu'elle désirait offrir à son mari, sachant que telle avait été son ambition: chanter encore ses meilleures chansons, pas forcément ses plus grands succès. Les chanter comme il aurait finalement voulu qu'elles aient été enregistrées. Des milliers de fans ne pourraient que s'en réjouir.

Je téléphonai à la maison pour rassurer ma fille et tante Alice. Je rejoignis aussi Élise qui eut tant de douceur dans la voix que je faillis pleurer. Je tentai de lui dire que ce qui m'arrivait n'avait aucun sens, que ce n'était pas une fugue, mais que j'étais parti à la recherche de mon camion et que Jean de la Lune qui l'avait emprunté pour se rendre à New York avait encore besoin de moi.

Élise m'embrassa et prononça des paroles d'amour en me recommandant la plus grande prudence.

Tout était bien beau. Je mangeais comme un roi. Mon fakir et le sorcier m'amusaient avec leurs drôles de têtes. Je participais à l'enregistrement du testament musical de l'idole de mon enfance, je me promenais un peu partout, dans le chic du chic, le nec plus ultra du branché dernier cri, Peppermint Lounge, Irving Plaza, Eddie Condon's, McSorley's Old Ale House...

À mon retour, j'ai tout raconté à Élise. Et tout cet argent, peut-on vraiment penser que j'aie pu le voler?

Nous étions deux hommes respectables dans une très belle camionnette. À la frontière, nous n'avions rien à déclarer. Le fakir avait conduit Jean de la Lune chez le coiffeur. Nous portions tous deux d'élégants complets. On nous laissa passer sans faire d'histoires.

Tel que convenu, Jean dormirait chez moi à cause des réveils brutaux, quand l'âme remonte dans la poitrine et l'esprit dans la tête. La Chinoise l'accueillerait chez lui par après et le soignerait au besoin. Avant de s'endormir dans la disparition à jamais, après m'avoir fait de touchants adieux et dit mille fois merci pour tout, John Lennon m'avait recommandé de ne pas oublier les valises et d'en partager le contenu avec Jean quand ce dernier serait remonté à la surface.

J'ai conservé la note qui se trouvait dans l'une des valises. J'en fais ici la traduction.

Chers amis,

Comment vous remercier? J'ai vécu grâce à vous une expérience exceptionnelle. Ce qui avait fait mon bonheur et mon malheur sur terre, j'ai pu le revivre en dénouant les liens de ma captivité native intérieure, cessant de ce fait d'être le prisonnier de ma gloire et de l'image factice où je m'étais complu.

Puisse notre album ravir mon fidèle public. Il vous doit tant. Je sais que l'argent ne fait pas le bonheur, mais veuillez accepter ce présent en guise de remerciement et gage d'amitié. Des dispositions, par ailleurs, ont été prises afin qu'une part des recettes de l'album vous soit équitablement octroyée.

Paix sur la terre.

Mister Moonlight

Ce soir-là, nous étions deux hommes d'affaires respectables dans une camionnette toute propre, mais un curieux incident s'était produit à la prison où l'on tient enfermé l'innommable malheureusement célèbre assassin qui, le 8 décembre 1980, a commis le funeste crime que le monde entier déplore encore.

Mission discographique accomplie; célébrités, fakir, sorcier salués, nous avions quitté New York à l'aube. Mais John m'avait demandé une faveur. À l'instar du pape, il désirait s'entretenir avec l'innommable et qu'à cette fin je le conduise à son assassin. Il me montra une carte de journaliste, obtenue je ne sais comment. Il me tendit ma carte de photographe et un appareil des plus sophistiqués.

Il fallait, disait-il, que cette page fût tournée. Il m'indiqua la route à suivre.

Vers onze heures, les deux journalistes se présentèrent à la prison. On leur refusa de rencontrer l'innommable. Le directeur du pénitencier semblait être un homme de principes. De plus toute son attitude indiquait un manque de souplesse intellectuelle formidable. John sortit son portefeuille. Ses doigts détachèrent de nombreux billets.

On nous conduisit dans une salle, puis dans une autre. Ah! le bruit des portes qu'on ouvre et referme! Cette rumeur de vent qu'on entend, d'hommes qui meublent leur ennui!

Nous rentrâmes dans la pièce où nous attendait l'innommable. Il nous accueillit de manière innommable. La lumière du flash de l'appareil le faisait-elle jouir, retombées d'une gloire bien misérable?

Pour ma part, le déclic de l'appareil, je l'aurais volontiers remplacé par celui des armes du peloton d'exécution.

J'avais ce sentiment de haine à son endroit, bien que John m'eût longuement parlé en termes de pardon. Je suis encore loin d'être le Gandhi que la mort a fait de lui.

Après la séance de photos, le faux journaliste s'entretint avec l'innommable pendant presque une heure. Je passai ce temps dans une pièce voisine en compagnie d'un gardien.

Quand le journaliste revint, je demandai aux gardiens l'autorisation de prendre encore une photo de l'innommable. Ils consentirent et m'ouvrirent la porte. L'assassin m'accueillit avec le sourire d'un ange. J'en fus quelque peu désemparé, mais je ne suis pas un ange. Je m'approchai de lui en véritable hypocrite, puis d'un coup de pied sportif j'atteignis les couilles, travail exécuté avec netteté, précision et professionnalisme. Je suis encore étonné par la scène. Le type gisait par terre et gémissait comme une ordure.

Quand je sortis de la pièce, l'un des gardiens voulut y entrer. J'avais moi aussi un portefeuille joliment garni que m'avait offert le fakir. Je manipulai quelques billets, recommandant au gardien de n'envoyer cette crapule à l'infirmerie que dix minutes après notre départ.

Les gardiens acceptèrent ma proposition. Mais mon compagnon voulut revoir le prisonnier, lui apporter un peu de réconfort. Il m'adressait de vifs reproches.

Les gardiens commencèrent à nous presser. Il valait mieux décamper. L'innommable s'était mis à appeler à l'aide. Il criait comme un dément.

Dans la camionnette, Mister Moonlight ne m'épargna aucun sermon sur la montagne. J'avais très mal agi. Un mauvais exemple pour les jeunes.

Le paysage défila. Le soleil dessina sa très lente courbe. Le temps se rafraîchit. Mon compagnon devint tout tendre. Il me faisait ses adieux. Il allait bientôt se résorber. Des signes l'indiquaient, le sommeil le gagnait.

34

Le lendemain matin, enfin chez moi, j'assistai au réveil de Jean. Il ouvrit les yeux comme un tout petit enfant. Des larmes coulèrent sur son visage. Il était enfin de retour.

Je pensai aux valises.

— Attends-moi deux secondes.

Je les avais laissées dans la camionnette. Je revins rapidement, fâché d'avoir oublié de verrouiller les portières au moment de notre arrivée au beau milieu de la nuit.

— Regarde, c'est notre cadeau.

Il y avait là cinq cent mille dollars américains.

— C'est bien mérité, me dit Jean.

— Euh, oui. Je pense que c'est correct.

On s'est serré la main, donné l'accolade. On s'est embrassé. Des bruits se firent entendre à l'étage: ma fille!

Elle était toute belle. J'étais au comble du bonheur. Je la pris dans mes bras. Je dansai avec elle, puis avec Alice. Le téléphone, vite! Je voulais rejoindre Élise. Véronique m'a demandé qui j'appelais. Elle avait son petit sourire moqueur sur les lèvres. On toussota derrière moi. Je me retournai. C'était elle, mon Élise en robe de nuit, avec sa délicatesse, son sourire et sa joie retrouvée.

FIN